Para

com votos de paz.

/ /

NOTA DA EDITORA

A Bíblia está entre nós há muito tempo. Foram muitos anos com cópias e traduções para quase 750 idiomas diferentes. Cada denominação cristã atualmente tem uma versão própria, com diferenças entre elas, o que pode ser averiguado com simples comparações.

A benfeitora Amélia Rodrigues, notória poetisa baiana e professora quando encarnada, do Mundo espiritual descreve-nos fatos da vida de Jesus em suas obras. Conforme já elucidado pela própria autora espiritual, suas narrativas evangélicas contêm informações "**hauridas nos alfarrábios do Mundo espiritual e nas memórias arquivadas em obras de incomum profundidade por alguns dos seus apóstolos e contemporâneos, encontradas nas bibliotecas do Mais-além, que trazemos ao conhecimento dos nossos leitores, a fim de revivermos juntos o sublime Ministério do Rei Solar a quem amamos com entranhado enternecimento**".* Portanto, no texto mediúnico proposto por ela, há informações que não necessariamente são abordadas e descritas na literatura terrena.

---

* FRANCO, Divaldo; RODRIGUES, Amélia [Espírito]. **A mensagem do amor imortal**. 1. ed. Salvador: LEAL, 2008, Prefácio. Vide também as obras *Primícias do Reino* (Prólogo) e *Luz do mundo* (Antelógio).

DIVALDO FRANCO

Pelo Espírito AMÉLIA RODRIGUES

DIAS VENTUROSOS

SÉRIE AMÉLIA RODRIGUES – VOL. 7

EDITORA LEAL

SALVADOR

1. ED. ESPECIAL – 2024

COPYRIGHT ©(1997)
CENTRO ESPÍRITA CAMINHO DA REDENÇÃO
Rua Jayme Vieira Lima, 104
Pau da Lima, Salvador, BA.
CEP 412350-000
SITE: https://mansaodocaminho.com.br
EDIÇÃO: 1. ed. – 2024
TIRAGEM: 1.000 exemplares
COORDENAÇÃO EDITORIAL
Lívia Maria Costa Sousa

REVISÃO
Plotino da Matta · Iana Vaz
CAPA E MONTAGEM DE CAPA
Ailton Bosco
EDITORAÇÃO ELETRÔNICA
Ailton Bosco
GLOSSÁRIO: Cleber Gonçalves,
Lenise Gonçalves e Augusto Rocha
COEDIÇÃO E PUBLICAÇÃO
Instituto Beneficente Boa Nova

PRODUÇÃO GRÁFICA
LIVRARIA ESPÍRITA ALVORADA EDITORA – LEAL
E-mail: editora.leal@cecr.com.br

DISTRIBUIÇÃO
INSTITUTO BENEFICENTE BOA NOVA
Av. Porto Ferreira, 1031, Parque Iracema. CEP 15809-020
Catanduva-SP.
Contatos: (17) 3531-4444 | (17) 99777-7413 (WhatsApp)
E-mail: boanova@boanova.net
Vendas on-line: https://www.livrarialeal.com.br

Dados Internacionais de Catalogação na Publicação (CIP)
(Catalogação na fonte)
BIBLIOTECA JOANNA DE ÂNGELIS

F825 FRANCO, Divaldo Pereira. (1927)

Dias venturosos. 1. ed. especial / Pelo Espírito Amélia Rodrigues [psicografado por] Divaldo Pereira Franco, Salvador: LEAL, 2024.
208 p.
ISBN: 978-65-86256-50-5

1. Espiritismo 2. Psicografia 3. Evangelho
I. Título II. Divaldo Franco

CDD: 133.93

Bibliotecária responsável: Maria Suely de Castro Martins – CRB-5/509

SUMÁRIO

	Dias venturosos	7
1	O Ministério de Luz	13
2	Orquestração de vida	19
3	O Reino dos Céus	25
4	Causas dos sofrimentos	31
5	Lições do Amigo Divino	39
6	Eles não O mereciam...	47
7	A transcendente sinfonia do amor	53
8	Nunca mais a sós	59
9	O Libertador	65
10	O final dos tempos	73
11	Era a despedida	81
12	Serviço e galardão	87
13	Contradições da verdade	95
14	Inimigos morais	103
15	A piscina de Betesda	111
16	Maior de todos	119
17	Pão da vida	125
18	O ministério	131
19	Arrependimento e paz	137
20	O Reino de Luz	143
21	Nem prata nem ouro, mas...	149
22	Silêncio impossível	155
23	Tempos de refrigério e restauração	161
24	A Casa do Caminho em luz	167
25	A trama do mal	173
	Glossário	179

DIAS VENTUROSOS

Disse-lhes o anjo: Não temais, pois eu vos trago uma boa nova de grande alegria, que o será para todo o povo: é que hoje nasceu na cidade de Davi um Salvador, que é o Cristo Senhor.
(Lucas, 2: 10 e 11)

Iniciavam-se os dias venturosos após os grandes dissabores e longas amarguras carpidos ao longo dos séculos.

À noite de sombras demoradas sucedeu o amanhecer de bênçãos já não esperadas.

A orgulhosa Israel experimentara o silêncio multissecular das profecias, como se a Divindade submetesse o povo escolhido *ao testemunho das provações demoradas: escravidão, sofrimentos no deserto, submissão aos gentios, que lhe usurparam a administração política, ameaçando a religião oficial, que tentavam substituir pelos deuses pagãos impostos através da adoração à figura do imperador de Roma...*

Multiplicavam-se, então, a hediondez, o suborno de consciências, as intrigas palacianas e as traições de todo porte.

A busca do poder e da sobrevivência assumira papel preponderante no comportamento hebreu, e os indivíduos se haviam transformado em lobos que se devoravam reciprocamente, insaciáveis e cruéis.

A rapina e a desconfiança faziam parte do dia a dia de Jerusalém, que se orgulhava do Templo majestoso, ora transformado em covil de raposas políticas e hienas astutas, sempre famélicas. Adorava-se o Deus Único, *enquanto se arquitetavam planos maquiavélicos em Seu nome, sob a máscara da sordidez.*

A pureza de sentimentos, que deve caracterizar o indivíduo de fé, cedera espaço para a hipocrisia religiosa, sem lugar para a verdadeira fraternidade, a irrestrita confiança em Deus.

Descaracterizara-se de tal forma a conduta que todo exemplo de dedicação era tomado como postura falsa e toda seriedade no cumprimento da Lei Antiga era tida como ilegítima.

As criaturas disputavam, sem qualquer escrúpulo, as migalhas do destaque social e as funções de relevo que lhes proporcionassem ser alvo da bajulação, do desmedido egoísmo, das atitudes arbitrárias que assinalavam os pigmeus travestidos de gigantes...

O clima moral apresentava-se empestado pelos vapores da deslealdade e da luxúria, combatidas em público e preservadas em particular.

Os bordéis de luxo multiplicavam-se, as bacanais faziam-se frequentes, imitando os romanos, que eram detestados e invejados.

Os desforços nos fracos e oprimidos pela miséria socioeconômica era a forma habitual de amainar o descontentamento geral, oferecendo aos esfaimados de justiça alguns exemplos da esquecida dignidade pública.

Apedrejamentos sem qualquer julgamento sério, perseguições contínuas, dissimuladas de conduta severa na administração do comportamento geral, sucediam-se como forma de anestesiar aqueles que exigiam fossem cumpridas as determinações de Moisés.

Tratava-se de verdadeiros teatros de dissimulação bem-apresentada, que, no entanto, estavam longe de esconder a decadência dos governantes e do próprio povo em geral.

Foi nesse imenso palco de corrupção e desmandos que nasceu Jesus, trazendo as Boas-novas de alegria, *transformando os dias dos* am ha'aretz *– a pobre gente espoliada do campo, que agora perambulava pelas cidades, faminta e quase desnuda, também considerada inútil, que aparece em todas as épocas da Humanidade, os miseráveis, os párias sociais – em um festival de oportunidades dignificadoras...*

Nesse terrível contubérnio, Jesus levantou Sua voz e deu início aos dias venturosos, que jamais se acabarão, abrindo espaço para o amor desprezado, para a esperança esquecida, para a felicidade não mais sonhada.

A Sua voz, suave e forte, soou, de quebrada em quebrada, desde os vales profundos do Esdrelon às altas montanhas do Tabor e do Sinai, convidando ao despertamento, conduzindo na direção do Reino de Deus, que estava esquecido por quase todos, embora o Seu nome estivesse na boca dos religiosos, que O utilizavam como instrumento de dolo, de sofisma e de indigna justiça.

Dando prosseguimento aos anúncios de João, Ele começou o ministério na Galileia, onde predominavam as gentes simples e desataviadas, confiantes e ingênuas, não maculadas pela perversidade da mente astuciosa dos administradores infiéis.

Ali, entre as balsaminas perfumadas e os tamarindeiros em flor, ante o mar-espelho refletindo nuvens garças, nas barcas encalhadas nas praias de pedregulhos e seixos, nas praças dos mercados, nas vilas e aldeias, nas cidades ribeirinhas, Ele cantou o poema lírico da imortalidade como dantes jamais fora ouvido e nunca mais voltaria a ser escutado...

Tomando as imagens simples do cotidiano, Ele teceu as redes de amor com que resgataria a Humanidade de si mesma, retirando-a do oceano encapelado das paixões, a fim de encaminhá-la no rumo da Grande Luz.

Tocado pela compaixão, assumiu a defesa dos fracos e dos oprimidos, estimulando-os ao despertamento interior e demonstrando que a maior escravidão é aquela que se vincula às paixões e misérias morais, atendendo às aflições e socorrendo as dores com infinita paciência; demonstrando, porém, que as doenças externas provêm do mundo íntimo, que necessita ser transformado para melhor, a fim de que não remanesçam causas atuais para futuras aflições.

Nunca se ouviram palavras iguais às que Ele pronunciou, nem música semelhante à que saiu dos Seus lábios.

Os Seus ditos eram repetidos e guardados nas mentes e nos corações, como se fossem uma sinfonia que jamais se acabaria, harmonizando as criaturas com a Natureza e com elas mesmas.

Enfrentando com altivez o farisaísmo, jamais se atemorizou com as ameaças diretas ou veladas, prosseguindo no Ministério sem qualquer ressentimento dos perseguidores, calmo e nobre, demonstrando a elevação de que era investido pelo Pai e que lograra ao longo dos milênios de evolução.

Assinalou a época de maneira profunda e tornou-se, por isso mesmo, o marco divisório dos tempos de todas as épocas.

Caluniado, invejado, maltratado, traído, crucificado, continuou amando... e ressuscitou em manhã radiosa, a fim de que nunca cessassem as alegrias nem se acabassem os DIAS VENTURO SOS que Ele inaugurara.

Reunimos, neste livro, narrativas que ouvimos e anotamos em nossas conversações íntimas no Além-túmulo, e que fazem parte das suaves-doces histórias do Mundo espiritual.

Não se trata de fatos reais, de acontecimentos históricos, mas de interpretações de algumas das muitas ocorrências que assinalaram o Seu Apostolado, e que passaram de geração a geração, tornando-se motivo de comentários felizes que se repetem entre nós, os desencarnados.

Objetivamos, com as páginas que constituem a presente obra, recordar aqueles DIAS VENTUROSOS, ricos de beleza e de esperanças, de harmonia e de ternura, que dedicamos a todos quantos sofrem e anelam por uma palavra de conforto, de encorajamento, de paz.

Sem qualquer pretensão literária ou prurido escriturístico de restabelecer verdades evangélicas, o nosso propósito fundamental é consolar, despertar sentimentos de amor e de bondade nos leitores que nos honrarem com a sua atenção e gentileza.

Hoje, tanto quanto ontem, todos necessitamos de Jesus descrucificado, do Homem incomparável, que arrostou todas as consequências pela coragem de amar, a ponto de dar a própria vida, para que todos tivéssemos vida em abundância.

Ante a impossibilidade, portanto, de ser transformado o mundo de violência e desar da atualidade, de um para outro momento, pelo menos podemos convidar alguns corações a que se desarmem e algumas mentes a que modifiquem a forma de pensar, considerando a necessidade de iluminação interior, única a produzir a renovação de toda a sociedade para melhor.

Acreditando haver realizado o possível dentro dos nossos limites, exoramos a Jesus que nos abençoe e nos conceda a Sua paz.

Amélia Rodrigues

Salvador, 10 de dezembro de 1997.

1

O MINISTÉRIO DE LUZ

As horas passavam rápidas e o momento se acercava. As bases da grande revolução iriam ser colocadas na Terra.

A voz de João silenciara, e o Batista fora levado ao cárcere no Palácio de Herodes, na Pereia.

Parecia que a claridade meridiana, que, por momentos, iluminara Israel, apagara-se de repente.

O pregador houvera dito muitas vezes que *ele não era digno de retirar o pó das sandálias daquele que viria depois: o Messias!*

Ele somente acertava o caminho, corrigia as veredas, para que os pés andarilhos do Outro as percorressem aplainadas.

O seu ministério encerrava-se, a fim de que se iniciasse o verdadeiro, aquele para cujo anúncio ele viera.

O seu batismo era com água, simbolicamente limpando as imperfeições, essas mazelas que maculam a alma. Mas o do Senhor seria mediante as chamas do testemunho, que as fazem arder interiormente.

Aquele povo, sem conhecimento mais aprimorado, ser-Lhe-ia o grande desafio, porquanto os seus eram os interesses do cotidiano, do pão, da indumentária, das necessidades mais imediatas. Não obstante, por isso mesmo havia sido eleito para participar do colossal banquete do *Reino de Deus*, em razão da sua ingenuidade, sua falta de astúcia, esse morbo que sempre caracteriza os ambiciosos. Aparentemente satisfeitos, eles encontrariam o Líder que os conduziria até os *confins do mundo.*

A Galileia pertencia à Tetrarquia de Herodes Antipas e suas terras abrangiam a grande área entre o Mediterrâneo e o Mar ou Lago de Genesaré, que lhe permitia clima temperado, especial. A sua capital era Tiberíades, cidade próspera, de negócios e jogos de paixões.

A noroeste do lago situava-se Cafarnaum, onde residiam aqueles que Lhe seriam discípulos afetuosos, aos quais convidara pessoalmente, um a um, a fim de que se candidatassem ao plano audacioso de conquistar o Céu, modificando as estruturas da Terra.

Na tradição bíblica, Cafarnaum era famosa, como comenta Mateus, situada na região *de Zebulom e Naftali, caminho do mar, além do Jordão, onde uma grande luz seria vista pelo povo que jazia nas trevas, região da morte* – assim profetizara Isaías – e a buscaria para sempre, a fim de que não mais voltasse a haver trevas.

Foi dessa maneira que, encerrado o movimento que João iniciara em Betabara, Jesus deixou Nazaré, onde viviam os Seus, e veio para a Galileia, onde instalaria a Sua base de ação.

A Sua voz começou a proclamar: – *Arrependei-vos, porque está próximo o Reino dos Céus.*

O arrependimento é o primeiro passo para a mudança do comportamento humano.

Enquanto se está em conflito, sitiado pelo prazer e encharcado pelo gozo exaustivo, se experimenta grande alegria, que sempre é substituída pelo tédio, sem maiores aspirações. O apego às questões que agradam favorece mentirosa sensação de felicidade, cujo sabor é mais carregado de vinagre do que de licor.

Todos quantos se afeiçoam a essa conduta, aparentemente sentem-se bem, não desejando mais conhecer alternativa: aquela que pode preencher os vazios do coração e da razão.

Desejando mudança real, faz-se indispensável a experiência renovadora, que leva ao arrependimento dos hábitos doentios até então cultivados, a fim de prosseguir-se com equipamentos novos para a ação.

Desse modo, a proposta inicial de Jesus concitava a um autoexame, de como cada um era, do que desejava e quais as alterações que se deveriam propor, ante a promessa de um novo amanhã, mais feliz e sem tropeços.

O israelita houvera sofrido muito através dos tempos. A escravidão que o povo penou, ora na Babilônia, ora no Egito, havia minado o caráter de quase todos os seus descendentes.

A escravidão é ato de hediondez, porque não somente submete o ser humano à situação de alimária de carga, como lhe rouba a dignidade, destroçando a alma. O escravo da guerra perde a liberdade de movimentos e de ações, para depois ser privado da própria vida, que se verga à indiferença, à descrença, ao desrespeito por si mesma...

O povo, desse modo, anelava por um Messias violento, que lhe restituísse o *status* perdido há muito tempo. O seu orgulho ancestral, aquele de pertencer a Deus, conforme as profecias, não podia ceder indefinidamente às conjunturas vergonhosas. Agora, sob a dominação romana, tinha novamente a sua liberdade tomada, o seu culto vigiado, os seus passos controlados.

Quando Jesus deu início à Sua pregação, era natural que a suspeita e o descrédito fizessem parte do comportamento de todos que O buscavam.

Imediatistas, necessitavam ver para crer. Apresentaram-se tantos *falsos Messias* no passado, que o povo se tornara armado contra os aventureiros que desejassem explorá-los em nome de Deus e utilizar-se da sua credulidade para retirar proveito e destaque.

Seria por isso, certamente, que o Mestre defrontaria sempre a dúvida soez e as hábeis ciladas dos fariseus, que, de alguma forma, eram os intelectuais do Seu tempo, tentando dificultar-Lhe o Ministério.

Incomparável conhecedor do ser humano e dos seus conflitos, por poder penetrar-lhe o imo com a visão profunda, mantinha-se paciente e benigno com frequência ante as propostas mais descabidas, desmascarando os hipócritas e orientando os que se encontravam aturdidos no turbilhão de si mesmos.

Desse modo, após o primeiro anúncio, Ele saiu a formar o Seu *colégio* de aprendizes e colaboradores, convocando-os verbalmente, Ele que os conhecia e sabia onde se encontravam.

Aquele labor iniciara-se muito antes do momento em que tomava corpo. Fora preparado com antecedência incomum, e os planos haviam sido elaborados de forma que ocorressem no tempo próprio.

Mais de uma vez, Espíritos perturbadores que O identificaram tentaram apresentá-lO, mas Ele os proibia, porquanto ainda não se fazia chegado o Seu momento, o da eterna claridade.

Aqueles que receberam a invitação pareciam aguardá-la e conhecê-lO a seu turno, embora não soubessem de onde, porquanto abandonaram as suas profissões, seus lares e famílias, e, sem qualquer garantia aparente, puseram-se a segui-lO.

Ele era um verdadeiro pastor reunindo as ovelhas, que O identificavam facilmente. Ninguém se Lhe recusou à convocação, apesar de não saberem exatamente de que se tratava, nem para onde iriam a partir do momento da chamada.

Assim mesmo, seguiram-nO, quase sempre emocionados e confiantes.

A música da esperança cantava na região da Galileia a melodia abençoada feita de saúde e de paz.

Ele saiu com os Seus a percorrer as aldeias e cidades à margem do mar e a falar sobre o *Reino de Deus*, modificando, a partir dali, os destinos de todos quantos Lhe escutavam a voz.

O Seu Ministério ficaria inesquecível, perpetuando--se na memória dos tempos futuros.

Como as doenças e desenganos constituem a pesada carga que exaure a Humanidade, apareceram enfermos chegados de toda parte e portadores de doenças as mais complexas, a fim de que Ele, tocando-os, os curasse, o que sucedia diante de todos.

As patologias graves da época podiam ser vistas no desfile das misérias orgânicas e morais que assinalavam a multidão que Lhe seguia empós. Tratava-se de cegos, surdos, mudos, aleijados, paralíticos, lunáticos, leprosos, além dos que eram enfermos da alma: obsidiados, revoltados, ciumentos, perversos, inseguros, negligentes, viciados...

A todos Ele atendia compassivamente, sem qualquer reclamação, sem apresentar cansaço, recomendando, porém, que *não voltassem a pecar, a fim de que não lhes acontecesse nada de pior...*

Era assim que demonstrava ser o *Filho de Deus*, Aquele que vinha modificar a Terra, reunir os mansos e pacíficos, criar a nova sociedade, a fim de oferecer-lhes a plenitude, caso fossem fiéis até o fim.

A notícia da Sua presença trouxe peregrinos e necessitados da Decápole, de toda a Galileia, de Jerusalém, da Judeia e de Além-Jordão.

A partir daquele momento, a música da Sua voz jamais silenciaria na Terra, e a misericórdia do Seu amor permaneceria para sempre.

Iniciavam-se, então, as Boàs-novas! Começava o Ministério de Luz.

2
ORQUESTRAÇÃO DE VIDA

O rosto sorridente da manhã iluminava a paisagem, enquanto o tropel das paixões humanas produzia alarido e perturbação.

Não obstante, bailavam no leve ar os suaves perfumes das flores silvestres que ornavam a Natureza.

Nas praças e praias largas, na Sinagoga e nos encontros habituais, o comentário único falava sobre Jesus.

A Sua força magnetizava a multidão e ninguém conseguia passar incólume à Sua presença, que se ampliava até além das fronteiras do mar, vencendo as distâncias com rapidez.

Ele conseguira despertar a atenção geral, trabalhando a fragilidade e os desconcertos do ser humano necessitado.

O arquipélago de dores em que se debatiam os seres sempre havia constituído motivo de desespero e apreensão.

Os homens amontoavam-se nas ermas regiões da agonia, deixando-se consumir pela decomposição orgânica e pela degenerescência mental, sob os acúleos de forças ignotas que os desnutriam e anatematizavam, constituindo pesada carga sobre o organismo sempre deficiente.

Ele chegou e passou a modificar a estrutura viciada das paixões, assinalando-as com mensagens de saúde e de paz, o que se tornava acontecimento inteiramente novo na desolada Israel, particularmente na sofrida região da Galileia...

Limpar corpos das exulcerações que os apodreciam; abrir olhos fechados à luz, que voltavam a enxergar; erguer paralíticos de membros atrofiados; cantar lições de profundo enternecimento e esperança, constituíam as notas melodiosas da sinfonia que Ele ofertava aos esfaimados e sedentos de paz, de alegria.

Essa orquestração de sons libertadores inundava as aldeias e corria de cidade em cidade, atraindo novas multidões necessitadas, expectantes, descrentes e, às vezes, confiantes.

Jairo era personagem de destaque na comunidade, chefe da sinagoga, homem conhecedor da Lei e dos profetas, que antes não se permitira aproximar d'Ele. O sofrimento, porém, esse inesperado visitante, adentrara-se pelo seu lar e apunhalava-lhe o coração, dilacerando-lhe os sentimentos.[1]

A filhinha encantadora encontrara-se doente, todos os recursos utilizados redundaram inúteis, e a morte a

1. Mateus, 9: 28 a 34 (nota da autora espiritual).

carregara rumo ao desconhecido. A angústia da separação era maior do que os preconceitos vigentes, e ele, pai afetuoso, foi procurar Jesus, dizendo-lhe:

– *Minha filha acaba de morrer; mas vem, impõe-lhe a tua mão, e ela viverá.*

A confiança sempre faz transbordar a taça do sofrimento, renovando-lhe o conteúdo, graças ao que pode ser chamada de portal para a vitória.

Penetrando-lhe o ser arrebentado de dor, Jesus e os discípulos seguiram-no.

Chegando a casa, defrontaram o desespero dominando a família, os tocadores de flautas e a multidão que se aglutinara à porta, pranteando a menina morta.

Percebendo que ainda não se houvera dado a ruptura total dos vínculos com o corpo, e o Espírito ali se encontrava, Jesus asseverou:

– *Retirai-vos, porque a menina não está morta: dorme!*

Diante do inusitado, os cépticos habituais puseram-se a rir, zombeteiros, ante o fato que aparentemente constatavam: a morte da criança.

Limitados às percepções sensoriais, não podiam ir além da capacidade de análise incompleta. A mofa era, então, o recurso único de que podiam dispor, dela utilizando-se com naturalidade.

Indiferente à ignorância geral, e consciente da realidade, Jesus entrou, tomou a mão da menina, chamou-a docemente e levantou-a, despertando-a do sono cataléptico em que se encontrava e, ato contínuo, devolveu-a aos seus.

A mesma multidão zombeteira, surpreendida pelo acontecimento, começou a cantar hosanas.

Já quando vinha pelo caminho, libertara do fluxo sanguíneo a mulher enferma que O tocara, e que, de imediato, se recuperara do terrível mal.

As alegrias estrugiam nas almas simples e entusiasmadas com os fenômenos incomparáveis produzidos pelo Rabi.

O tempo perdera a sua dimensionalidade. Tudo eram sorrisos e felicidades. Não lhes era possível antecipar preocupações nem futuras dores, aquelas que acompanham os idealistas e heróis, os construtores do novo mundo.

A Sua fama se espalhava cada vez mais por toda parte, atraindo maior número de sofredores, que buscavam soluções externas para os males que os atormentavam, sem interesse real pela cura interior, aquela que não degenera mais.

Como se tratava de uma orquestração infinita de risos e lágrimas, assim que Ele saiu, trouxeram-lhe *um mudo possesso de demônio.*

O pobre homem encontrava-se dominado pela força constritora que o limitava, tornando-o silencioso, com a alma sob os camartelos de angústias incessantes.

Colhendo os frutos amargos da sementeira passada, o enfermo sintonizava com o seu algoz, entregando-se--lhe em regime de totalidade. Submisso, sob o açodar da consciência de culpa, sentia-se incapaz de resistir à insidiosa dominação. Faltavam-lhe forças morais para superar o constrangimento psíquico.

Jesus, acercando-se, e compreendendo o drama que se desenrolava além da observação física, repreendeu o espírito enfermo e afastou-o da sua vítima, luarizando a noite do ódio com a inebriante claridade do Seu amor.

Libertado da coarctação, o paciente pôs-se a falar, inundado pelo júbilo.

Os fariseus, porém, invejosos e mesquinhos, impossibilitados de realizar o mesmo, assacaram acusações de que era através do *príncipe dos demônios que Ele expulsava os demônios.*

Nunca faltarão aqueles que, sem os recursos que os tornem capazes de algo realizar, encontram mecanismos acusatórios para justificar o êxito de quem produz.

Como podia, porém, o mal fazer o bem... O *príncipe dos demônios* voltar-se contra o seu subordinado e tornar-se-lhe contrário?

Jesus, que os conhecia, não lhes dava a importância que eles se acreditavam merecer.

O mundo está repleto de mudos para a verdade e de palradores que estimulam o crime e disseminam a promiscuidade moral.

Elaboram temas que desconcertam as vidas e exibem as feridas íntimas com leviandade e entusiasmo, atraindo outros insensatos que os acompanham em festa, desnudando os cânceres espirituais que os dilaceram, impiedosos.

Mudos para a verdade, podem expressar-se nas sombras em que se debatem, encontrando aqueles que se encontram surdos para as realidades do espírito e receptivos para as suas mensagens de alucinação e de baderna.

Encontram-se igualmente obsidiados por adversários cruéis que os espreitam e dominam, retirando-lhes a voz que poderiam usar para o bem, ampliando-lhes o volume para o mal deles mesmos, ou cerram os ouvidos para as melodias de vida, abrindo-os para o alarido primitivo das paixões selvagens em que se comprazem.

Por muito tempo eles permanecerão na Terra, obsessos e obsessores, expungindo sem libertar-se, negando-se à iluminação e campeando na loucura que os caracteriza.

A voz, porém, do Divino Pastor, permanecerá chamando-os, e os Seus ouvidos atentos estarão aguardando para captar qualquer ruído de aquiescência que eles se permitam oferecer, a fim de resgatá-los das prisões sem grades, nas quais se encarceram espontaneamente.

3

O REINO DOS CÉUS

Permaneciam, na musicalidade da natureza e na ressonância dos corações, os acordes maviosos do incomparável Sermão da Montanha.

A melodia daquela voz, que enunciara as prodigiosas lições de esperança e de paz, continuava em vibração doce no âmago de todos quantos a ouviram.

As palavras pareceram fundir-se nos sentimentos do público, assinalando de forma especial cada um dos que estiveram presentes, como jamais ocorrera anteriormente.

Qual se nunca houvesse existido o passado, tudo agora se resumia nas expectativas do futuro promissor.

As dores que, até então, significavam amargura, apreensão, desar, perderam o significado perturbador, para assinalarem os seus portadores com diferentes expressões, que os tornariam eleitos para o porvir ditoso.

Antes, as dificuldades e os sofrimentos representavam desgraça, abandono do socorro divino, orfandade espiritual. A partir daquele momento, porém, não seria mais a mesma coisa, porque uma Era Nova se iniciava, clareada por incomum sol de alegria, mensageiro de felicidade.

Desde quando Jesus se acercara da multidão, às margens do Lago de Genesaré, houve uma significativa alteração na vida antes tranquila e modorrenta dos habitantes da região.

Acostumados à rotina e à submissão aos dominadores políticos e religiosos, todos cumpriam com os deveres que lhes eram assinalados, deixando-se arrastar quase indiferentes pelos pequenos sucessos diários. Todavia, quando se ouviram as primeiras notícias do *Rabi*, que se transformou repentinamente no fulcro de todas as ansiedades, um bulício permanente passou a agitar as pessoas e as comunidades instaladas à sua orla.

De certo modo, aquelas águas piscosas, que refletiam os céus sempre azuis e transparentes, tornaram-se a moldura fulgurante para a tela especial, onde Ele começou a escrever a música sublime dos Seus ensinamentos, que jamais desapareceriam das paisagens terrenas. Ao lado de todos esses sentimentos, incomuns para aquelas gentes simples e modestas da Galileia, pairavam no ar dúlcidas emoções que embalavam os corações em festa contínua.

Agora, a cada instante, chegavam novas notícias, informações a respeito dos Seus feitos e dos Seus ditos, de boca a boca, em festival de beleza e de encantamento incessante.

Os encontros sucediam-se, ora nas praias largas; em ocasiões outras, nas praças públicas onde se reuniam as pessoas; de contínuo, na barca de Simão, que Ele havia elegido para tribuna de dissertações encantadoras, tendo em vista a avidez com que todos O buscavam.

O Seu contato suavizava a aspereza dos comportamentos agressivos, das necessidades crescentes, dos sofrimentos sem quartel...

Estimulado por esse dealbar de ansiedades, após uma reunião que tivera lugar no seu lar, quando o Mestre dirigiu-se à praia para sintonizar com as forças vivas da Natureza e melhor comungar com Deus, Simão, enternecido, aproximou-se, cuidadoso, e após sentir-se notado, justificou a presença, elucidando que necessitava de informações, a fim de acalmar o corcel desenfreado dos pensamentos que o dominavam naqueles dias.

A noite esplêndida de estrelas, que lucilavam a distância, tinha quebrado o seu silêncio pelas ondas sucessivas que se arrebentavam nas areias de seixos e pedras miúdas, levemente sacudidas pela brisa, ou pelos indefiníveis sons que se misturavam ao perfume suave das flores silvestres.

Jesus sempre ouvia aqueles que O buscavam com um misto de ternura, bondade e mansidão, permitindo que se estabclccesse uin intercâmbio de vibrações dulçorosas, que passariam a impregnar o interlocutor para sempre.

Animado pela expressão de doçura do Amigo silencioso e atento, o pescador inquiriu, demonstrando interesse justificado:

– *Falas a respeito do* Reino dos Céus, *enriquecendo-nos a imaginação com símbolos incomuns para a nossa compreensão. Acreditamos nas Tuas palavras. No entanto, acostumados à pesca rude, aos trabalhos desgastantes, sem hábitos mentais diferentes, todos nos inquirimos como será esse lugar. Eu próprio me tenho interrogado onde fica e como é constituído.*

Fez uma pausa, emocionado, como se estivesse concatenando as ideias, para logo prosseguir:

– *Gostaria, Senhor, que me explicasses, a fim de que, entendendo, também eu o pudesse dizer aos companheiros que participam das mesmas interrogações.*

Abarcando a noite luminosa que dominava a paisagem à vista, o Mestre, paciente, elucidou:

– *O* Reino dos Céus *é o recanto calmo e silencioso do mundo interior, onde repousam todas as ansiedades. Enquanto se está na Terra, os seus domínios ampliam-se pela consciência em tranquilidade, pelo dever retamente cumprido e domina o coração com bem-estar, envolvendo todo o mundo íntimo em harmonia. Proporciona alegria de viver, confiança no futuro, equilíbrio de ação e dá sentido à existência corporal. E mesmo quando advém a morte física do ser, ei-lo que se transfere para a Imortalidade.*

Silenciou momentaneamente, a fim de facultar ao discípulo compreender o conteúdo da lição, logo prosseguindo:

– *A vida na Terra é constituída pelos elementos que existem no* Reino Eterno *e que são adaptados pelas necessidades humanas ao seu desenvolvimento e progresso. Porque a criatura ainda se encontra em processo de evolução, as suas são construções primárias e grosseiras, que lentamente se vão transformando para melhor, a esforço de cada um e de todos reunidos.*

Observa a delicada flor do espinheiro que oscila ao vento, e constatarás que é elaborada com a mesma substância dos acúleos que existem na sua haste. A luz prateada do astro que se engasta no Infinito e que nos parece repousante quão fria, é ardente e insuportável na superfície dele. O orvalho que nos umedece a face e os cabelos tem o mar miniaturizado, mas não é o mar gigantesco em si mesmo, que está à nossa frente...

Assim é o Reino dos Céus, *a que me refiro e que a todos nos aguarda.*

As suas fronteiras não podem ser conhecidas, porque são infinitas; a sua constituição escapa a qualquer definição, somente podendo ser apreendida pela emoção e a razão, que dispensam palavras. Lá não existe sofrimento, nem medo. A alma que o alcança, liberta-se de preocupações e ansiedades, usufruindo das alegrias que na Terra jamais experimentou. O amor é vivo e pulsante, irradiando-se em todas as direções, qual música divina que entenece e sustenta a esperança, fundindo os corações uns nos outros, sem desconfiança, nem precipitação.

Envolvendo o discípulo, que tinha os olhos iluminados de esperança e sorria de júbilos ante a possibilidade de transladar-se para esse paraíso, prosseguiu:

– O homem no mundo tudo mede pela pequenez de sua capacidade de entender a vida, não conseguindo possuir capacidade mental para superar os limites nos quais se encontra enjaulado pelo corpo. No entanto, porque a vida orgânica é transitória, momento chega em que ele se liberta do cárcere pela morte e defronta o mundo da realidade, que ultrapassa a sua capacidade de antecipação, no qual, se não foi vitorioso na luta contra as paixões e os vícios que o infelicitam, prossegue sofrendo, apegado aos interesses doentios a que se entregou. No entanto, quando consegue libertar-se das algemas do pecado, *das rudes injunções afligentes que o apequenam,*

havendo superado os desejos malsãos, a inferioridade, porque cultivou o amor e a virtude, adentra-se pelo Reino dos Céus, *como triunfador após a refrega das batalhas vencidas e a superação dos sentimentos animais.*

Calou-se, por instante, para logo concluir:

– A morte do justo, a grande libertadora, transporta-o para o país *da felicidade total, que já carrega interiormente, e onde nunca mais se acabará.*

Hoje estamos lançando as bases colossais desse futuro, e porque ainda não é conhecido, experimentaremos a incompreensão dos sensualistas e gozadores, dos que desfrutam o poder enganoso e a propriedade injusta... Dia virá, porém, que não está próximo nem longe, no qual as criaturas compreenderão a necessidade de preparar-se para conquistá-lo, e envidarão todos os esforços, entregando a própria vida física, a fim de desfrutarem dele por toda a Eternidade...

Não foi necessário dizer mais nada. O silêncio, que se fez natural, estava saturado de bênçãos, e Simão, emocionado, deixou-se arrastar pelas esperanças de consegui-lo, quase em êxtase de felicidade.

4

CAUSAS DOS SOFRIMENTOS

Toda sinfonia distribui-se por trechos melódicos que alcançam o esplendor em cada etapa, atingindo, por fim, o majestoso, que é a culminância da peça musical.

Aquela era também uma peculiar sinfonia de vida, modificando a estrutura de outras vidas. Atingia o ápice em cada fase e recomeçava suavemente para lograr o máximo de beleza em harmonia incomparável.

Sucediam-se as multidões, como se fossem ondas de mar tangidas pelas mãos invisíveis de vento contínuo.

Chegavam e partiam, trazendo aflições e levando o poema de sons e de esperanças para as diferentes regiões de onde procediam.

Renovavam-se ao contato com o jovem e belo Messias, tocadas pela magia da Sua presença e pela força da Sua palavra.

Jamais alguém conseguira penetrar uma lâmina de luz como aquela, no âmago dos sentimentos em sombras das criaturas humanas, qual Ele o fazia.

As palavras que enunciava eram comuns; as lições eram quase conhecidas, as atitudes eram convencionais; no entanto, ninguém antes falara aquelas mesmas palavras conforme Ele o fazia, ou ensinara com a majestade com que o realizava, ou se apresentara com a grandeza que Lhe era natural.

Jesus, sem dúvida, era especial.

D'Ele se irradiava peregrina beleza, que fascinava os sentimentos e inundava de alegria as criaturas desesperadas. Poder-se-ia dizer que era semelhante a chuva gentil sobre terra escaldante, ou a brisa leve passando sobre ramagens paradas, ou perfume suave impregnando o ar...

Era impossível permanecer insensível à Sua presença.

Ou O amavam ou, dominados pela inveja, pelo ressentimento ante a Sua beleza, a Sua grandiosidade, O detestavam. Ninguém Lhe ficava indiferente ao encontro, desvelando o mundo íntimo ante o silêncio ou a voz que Lhe traduziam o momento.

Graças a essa força magnética incomparável, Ele se revelou o único na Terra, que nunca teve alguém, antes ou depois, que se Lhe equiparasse.

Surgira, fazia pouco, e produzira uma revolução que se alongaria por todos os tempos do porvir, sem interrupção nem desaparecimento.

Aqueles abençoados dias ficariam imortalizados com a sua música na partitura da Natureza em perene festa.

Quando a azáfama do dia laborioso cessava, os Seus amigos reuniam-se na praia, na casa de Simão, sob a copa das árvores frondosas, agasalhados pela escumilha das noites salpicadas de astros lucilantes nela engastados, para continuar a ouvi-lO.

Noutras ocasiões, terminadas as pregações, voltavam ao grupo, a fim de comentar as realizações e solicitar esclarecimentos que lhes completassem a compreensão das ocorrências que tiveram lugar durante o festival de misericórdia.

Jesus ouvia-os exaltados ou deprimidos, ansiosos ou temerosos, inquietos ou expectantes e, paciente, falava-lhes com especial carinho, de forma que pudessem entesourar os ensinamentos para o tempo de todos os futuros tempos.

Indagações variadas surgiam em propostas, algumas estapafúrdias, outras assinaladas pelo sincero desejo de romper a roupagem da ignorância na qual estorcegavam, ampliando as dimensões do entendimento para melhor servir.

Foi numa dessas oportunidades, após a ocorrência do atendimento a paralíticos e enfermos outros que se recuperaram ao toque das Suas mãos, que João, o discípulo amado, acercou-se e, sensibilizado pelo vivo interesse de penetrar nos arcanos das Divinas Leis, interrogou, ansioso:

– *Por que, Mestre querido, existe o sofrimento no mundo? Não nos poderia haver criado, o Pai Todo-Poderoso, sem limitações, nem angústias? Vejo o fórceps do desespero arrancando os corações das criaturas do seu ergástulo no peito e fico-me a perguntar: qual a razão para tanto padecimento?*

Compreendendo a aflição íntima do jovem sonhador, que desejava libertar as almas dos látegos que as dilaceravam, o Mestre compassivo esclareceu:

– *Já viste o vento paciente lapidando as montanhas, a fim de alterar-lhes os contornos, mas também viste os raios arrebentando-as em choques poderosos e alcançando a mesma finalidade. O córrego tranquilo cava o leito suavemente, seguindo a superfície da terra e modificando os seus acidentes, a fim de deslizar sem problemas, mas ocorre que as tempestades descarregam catadupas que arrasam regiões e se espraiam abrindo caminhos para escoar-se. O fogo devorador destrói o que alcança, mas a lamparina mantém a claridade sem qualquer dano...*

Assim também sucede com os fenômenos que convidam os seres humanos à transformação moral.

A dor é mecanismo de purificação, como o fogo que derrete os metais que serão transformados em utilidades. É fórceps, como disseste, que arranca da concha grosseira o delicado ser que guarda, a fim de que ele atinja a sua finalidade existencial.

Fizessem-se dóceis ao bem e ao próprio progresso as criaturas, e não necessitariam da força ciclópica que explode em toda parte, a fim de despertá-las e conduzir pelos caminhos do dever.

O Pai Todo Misericórdia fez-nos simples, destituídos de complicações, com os atributos valiosos emanados do Seu amor, em forma de fascículo da Sua luz, a fim de que cada qual, por sua vez, desenvolvesse essa força que lhe dorme latente, ampliando-a ao infinito em cuja direção ruma.

Porque preferem o prazer ao dever, as satisfações imediatas aos investimentos de sacrifício, fecham-se nos conflitos dos problemas que criam, quando se deveriam abrir à claridade da ascensão. Não se deixam sensibilizar pelo amor, nem pela beleza, pela harmonia vigente em toda parte, nem pela alegria, antes preferindo as construções sombrias nas quais se refugiam, fazendo jus às consequências dos atos insensatos, irresponsáveis...

Observando que os amigos silenciaram, a fim de O ouvirem melhor, Ele fez uma pausa oportuna, dando-lhes ensejo de apreender o conteúdo das palavras, e logo prosseguiu:

– A vida é única e eterna, mas as existências carnais são múltiplas. O espírito mergulha no corpo e dele sai, pelos fenômenos da fecundação e da morte, sem que haja sido criado naquele momento ou se desintegre no outro.

Qual uma semente pequenina que possui a árvore gigantesca no íntimo, aguardando a oportunidade para desenvolvê-la, o espírito carrega em germe a grandeza do Pai, esperando as condições próprias para agigantar-se e atender a finalidade superior que o aguarda.

Insensíveis, por enquanto, a essa mensagem de vida eterna, avançam, inconsequentes, pelas vias de perturbação, desatentos, produzindo males que lhes voltarão de maneira diferente nas novas futuras etapas, exigindo-lhes correção, reequilíbrio, ajustamento.

Nesse momento, os camartelos do sofrimento são utilizados pela Vida, a fim de despertar-lhes a consciência adormecida e demonstrar-lhes que o corpo, por mais valioso e belo, é sempre transitório, e que o sentido da existência humana é mais sério e grave do que pensam.

Surdos à delicada voz do amor, escutam o chamado tonitruante do sofrimento. Indiferentes aos suaves apelos da brisa da ternura, atendem sob o medo da tempestade...

Desse modo, são as próprias criaturas que elaboram o seu destino através dos comportamentos que se permitem, recebendo de acordo com o que dão, colhendo conforme semeiam. Todos têm as mesmas oportunidades e são aquinhoados com iguais recursos, cabendo, a cada qual, a conduta que lhe pareça mais própria, da qual decorrerá a felicidade ou a desdita futura.

Novamente silenciou por um pouco, de modo a ser entendido, para logo continuar:

– Eu venho despertar os seres humanos para o cumprimento dos seus deveres, demonstrando-lhes que tudo no mundo é transitório, mas existe a vida eterna, que será conquistada a grande esforço pessoal, sem privilégios nem aventuras. Cada um ascende com o esforço dos próprios pés e conquista os espaços mediante os interesses investidos. Eu venho dar a minha vida, para que todos tenham vida em abundância, no entanto, é necessário que cada qual realize a sua parte para consegui-la.

Sempre que liberto momentaneamente alguém das amarras do seu sofrimento, em nome do Amor, proporciono-lhe oportunidade para retificar o ontem *de enganos, recuperar o tempo que aplicou indevidamente, crescer em espírito e vencer-se. Por isso, recomendo-lhes que* não voltem a pecar, para que não lhes aconteça nada pior.

Somente uma conduta correta merece uma vida feliz.

E desejando encerrar a questão, concluiu:

– O Pai deseja a felicidade de todos os Seus filhos, por essa razão mandou-me a eles, para convidá-los à ascensão libertadora.

Quanto mais alto se está, mais ampla e atraente é a paisagem. Subir, todavia, exige esforço. Sair das baixadas dos vícios para aspirar o ar puro das virtudes é o desafio que se deve enfrentar e vencer.

Eu sigo à frente, porque sou o Caminho...

Respiravam-se as ânsias da Natureza bordada de prata gotejante das estrelas longínquas, quando Ele silenciou.

João, enternecido, acercou-se mais e O abraçou com lágrimas nos olhos, falando-Lhe com voz embargada:

– Eu seguirei contigo, Amigo amado, até o fim, doando-Te a minha pobre vida, para que possa ficar ao Teu lado para sempre...

Os séculos se dobraram sobre aquele momento inesquecível, e o *discípulo amado*, dando prosseguimento fiel à promessa, retornou à Terra, nas roupagens de Francisco de Assis, para convocar as criaturas distraídas a retomar o caminho do bem, único, aliás, que a Ele conduz.

5

LIÇÕES DO AMIGO DIVINO

Os acontecimentos em Gadara assinalaram significativamente os discípulos de Jesus.

Eles haviam acompanhado com espanto crescente as cenas da cura do *endemoninhado*, no cemitério da cidade, e ainda não se haviam recuperado das emoções inusitadas.

Assustaram-se, no primeiro momento, quando o obsesso enfrentou o Mestre, interrogando-o com atrevimento, logo constatando a elevação, o poder do Amigo, que dialogara com o ser espiritual inferior, expulsando-o daquele a quem atormentava.

Ato contínuo, viram, surpreendidos, o inusitado fenômeno dos suínos em debandada, atirando-se ao mar, como se houvessem ficado aterrorizados diante de algo incomum.

No entanto, o que mais os surpreendeu foi a atitude agressiva dos gadarenos para com o manso Rabi.

A hostilidade, expressa na face, com que o receberam, tornou-se quase violência, à medida que não desejavam ali a Sua presença, exigindo-Lhe que se fosse, o mesmo fazendo em relação aos Seus, que O acompanhavam.

À alegria da vitória sobre as Trevas, a amargura por vê-lO desconsiderado e mesmo humilhado.

Perceberam o véu de tristeza que desceu sobre o rosto do Senhor, que nem sequer tivera o direito de enunciar algumas poucas palavras.

Naquele acontecimento estava presente o ódio recíproco que se permitiam judeus e gadarenos, em razão do seu desprezível comércio, ampliado pelo prejuízo que lhes foi infligido pela perda da vara de porcos...

O ardor, porém, da repulsa, assustou-os, e tiveram dimensão do que iria acontecer, tempos afora, com aqueles que divulgassem a Mensagem de esperança das Boas-novas, que ora chegava à Terra.

Os pequenos barcos – delicadas cascas de nozes – flutuavam levemente sobre as águas tranquilas do lago, trazendo-os de volta a Cafarnaum.

O céu apresentava-se transparente naquele momento do dia, e suave brisa soprava acariciando os cabelos e as faces contraídas do grupo de retorno, liberando a todos do constrangimento sofrido.

Ante o infinito que se desenhava para cima e a visão fascinante das colinas verdes, além das praias repletas de embarcações ali cravadas, como se fossem unhas escuras das mãos líquidas do querido mar, eles experimentaram novo júbilo inundar-lhes os corações.

Eles eram homens rudes e simples. Jamais haviam imaginado os sucessos de que se viam objeto acompanhando Jesus. Até há pouco, as suas eram vidas quase sem sentido, perdidas na conquista das pequenas metas que haviam elegido como realizações de felicidade interior e familiar. Contentavam-se com os labores do dia, os amigos das vizinhanças aldeãs, o vaivém cotidiano, as notícias da *Torá* e as revelações dos profetas antigos. Jamais haviam imaginado ver-se no fulcro dos acontecimentos, personagens da construção de uma Nova Era.

De certo modo, ainda não entendiam exatamente o que lhes competia realizar, nem como fazê-lo. No íntimo, experimentavam estranha e desconhecida emoção, uma nunca sentida alegria que lhes tomava as paisagens da alma, falando-lhes, sem palavras, de felicidade incessante.

Um pouco aturdidos seguiram o Cantor e cada vez mais se fascinavam com Ele.

Já haviam escutado falar sobre os mensageiros de Deus, que haviam elegido a Casa de Israel para semear profecias e sustentar o seu povo. Nunca, porém, imaginaram quc a convivência com um deles – que parecia maior do que todos os que vieram antes – fosse tão rica e encantadora quanto se apresentava.

Os fenômenos que Ele operava, recuperando a saúde dos enfermos, fascinavam-nos, embevecendo-os, e certo orgulho de serem Seus cooperadores, deslumbrava-os.

Eram vistos na região como os amigos do Nazareno, e, não poucas vezes, foram procurados por personagens influentes para que intercedessem em seu favor, o que aprenderam a não fazer.

O Mestre era quem deliberava, nunca permitindo interferência estranha ao Seu Ministério. Ele o dissera, convidando-os à discrição e ao recolhimento, para que nunca se beneficiassem da posição de companheiros e discípulos, para auferirem compensações sociais ou pecuniárias...

Amavam, também, o que Ele dizia.

Seus sermões, repletos de beleza, usando as imagens singelas que lhes eram habituais, sensibilizavam-nos, embora o sentido mais profundo passasse, não raro, desconhecido, necessitando de explicações mais particulares e minudentes, que interpretassem a forma parabólica responsável pelo ocultar do seu sentido real.

Ele lhes falava, nessas ocasiões privadas, na Sua doce intimidade, com admirável facilidade, ajudando-os a entender a revolução que se aprestava e que iria contar com eles.

Quando esses momentos aconteciam, experimentavam a carícia de brisas espirituais que lhes rociavam o coração e o espírito, anunciando-lhes a vitória, antecipando-lhes a ventura que não tinham forma de mensurar.

Assim mesmo, ainda pairavam muitas dúvidas e interrogações naqueles dias iniciais do Ministério.

Quando os barcos aportaram nas areias úmidas e as pessoas descobriram Jesus, correram na Sua direção, ansiosas, em algaravia, homenageando-O e bendizendo-O, formulando súplicas e apresentando os filhinhos que conduziam nos braços.

As mulheres cercaram-nO, enquanto os homens, muito cuidadosos e receosos, mantiveram-se a certa cautelosa distância...

Ele amava aquelas gentes simples e as distinguia com carinho.

O encontro jovial desanuviou-lhe a face, que desenhou um sorriso meigo e enternecedor, facultando que os olhos fulgurassem com incomparável brilho.

Assentando-se na proa da embarcação de Simão, que era de maior porte, aureolado pela luz do Sol brilhante às costas, que O adornava de claridade refulgente do ouro novo, Ele começou a falar, enquanto todos silenciaram com expectativa:

– Havia um homem que se relacionava com dois amigos. Um era gentil, devotado e generoso, estando sempre de coração aberto e sorriso amplo nos lábios. O outro era instável, ríspido e leviano, exteriorizando desconfiança injustificada em todas as situações.

Certo dia, foram ambos vítimas de uma circunstância infeliz e apelaram para o seu amigo, na certeza de que seriam atendidos. Ele, porém, não trepidou em socorrer aquele que o amava e que correspondia ao seu afeto, logo o liberando da situação afligente em que se encontrava.

Magoado, disse o outro: – Também sou teu amigo e me desprezas, em favor de outrem que, em minha opinião, não merece tal consideração!

Sem qualquer enfado, o homem respondeu: – Sempre te destaquei com bondade, jamais retribuída; com afeto, nunca correspondido; com respeito e confiança, que sempre me devolveste com azedume, medos e insegurança, como se eu te fosse explorar, mantendo-te armado, a distância. Assim, sempre fui teu amigo enquanto te tornaste um explorador da minha afeição. Ele, no entanto, sempre esteve aberto à minha amizade, sendo-me solidário e companheiro, gentil e dedicado, nunca me exigindo coisa alguma. Por isso, eu o tenho em conta de amigo, a quem ofereço a minha ajuda.

Assim será no dia da grande libertação, quando eu vier com os meus anjos e convidar os meus amigos a que se elevem comigo à Glória Solar, longe das sombras e das dores, das amarguras e dos conflitos, para que se enriqueçam de paz no meu Reino. Aqueles que sofrerem por mim; que testemunharem em meu nome e no de meu Pai; que renunciarem às ilusões e prazeres por amor a mim; que se dedicarem aos seus irmãos, como se o estivessem fazendo em meu benefício, que sejam capazes de ceder em vez de tomar; de perdoar antes que odiar; de agradecer a luta ao invés de amaldiçoá-la, eu, que sou amigo de todos, elegê-los-ei como meus amigos, aqueles que me amam, e os apresentarei a meu Pai.

Os companheiros, que antes se encontravam tristes, começaram a exultar, compreendendo que, se prosseguissem Seus amigos, seriam apresentados a Deus no futuro. Por enquanto, havia muito ainda que viver, sofrer e prosseguir, realizando o melhor, a fim de O terem como amigo, tornando-se, por sua vez, amigos d'Ele.

No alto, nuvens prenunciadoras das borrascas repentinas do Mar de Genesaré começaram a acumular-se, enquanto as primeiras bátegas caíam sobre a terra, espalhando a multidão.

Ele, que silenciara, seguiu com os amigos para a casa de Simão.

Os alicerces da Sua Mensagem estavam sendo colocados, e os tijolos de sustentação do amor eram fixados com a argamassa trabalhada com suores e júbilos.

6

ELES NÃO O MERECIAM...

Jesus era a Primavera após a demorada invernia. Por onde passava, deixava marcas de luz e jamais era esquecido.

Seu porte soberano, sem jactância, e Sua irradiação de paz despertavam sentimentos contraditórios: amavam-nO, os que sofriam, aqueles que anelavam por ternura e eram carentes de amor; ou detestavam-nO, aqueloutros que eram soberbos, mentirosos, inseguros nas funções que desonravam, os poderosos da ilusão...

Sem dúvida, porém, maior era o número dos que O amavam, a seu modo, dentro da estreiteza dos seus interesses e aspirações.

Não desprezando a ninguém, Ele preferia os simples e desconsiderados, pois que para eles viera e esses O buscavam com impaciência.

Os hebreus eram, ao tempo de Jesus, um povo especial.

Preservadores da crença no Deus Único, fiéis às suas tradições e profetas, pecavam pelas exigências do *culto externo* das aparências, a que davam máxima importância, em detrimento do conteúdo, do interior e profundidade da mensagem.

Os vários cativeiros sob mãos déspotas fizeram alguns deles herdeiros de desmesurado orgulho de uma raça que nunca se dobrava e, como é natural, de muitos levianos, maledicentes, hipócritas, aqueles que sobreviviam bem em qualquer situação e facilmente se voltavam contra quem lhes constituía ameaça real ou imaginária, diminuindo-lhes o falso prestígio...

Iguais a outros povos que sofreram a servidão, desejavam uma pátria forte e dominadora, leis impiedosas, especialmente contra os fracos e pecadores, *pecadores* que, de certo modo, eram quase todas as criaturas.

Na impossibilidade de execrarem os romanos e os esmagar, naquela conjuntura, odiavam César e o Império, conspirando continuamente e atormentando os indefesos, como mecanismo de transferência das suas frustrações.

Desconheciam ou ignoravam o amor, sempre zelando pelos interesses imediatistas.

Odiavam quase sempre e celebrizaram-se no farisaísmo, uma das suas seitas dominantes, pelas rixas contra as demais, pelas intrigas...

Nesse tecido social vinha Jesus implantar uma Nova Ordem.

Não é fácil, com a compreensão de hoje, entender aqueles acontecimentos conforme a psicologia da época. Os parâmetros diversificados, a cultura humanística e as circunstâncias totalmente diversas dificultam o entendimento...

Jesus era a Estrela, e o povo, abismo em sombras.

Muitas vezes, no pantanal sombrio, refletem os astros sua luz sobre as águas paradas, que ocultam miasmas e morte.

Assim brilhava Jesus, incomparavelmente transparente e puro.

As tardes eram o pentagrama virgem, no qual Ele colocava as Suas canções de sabedoria e amor, envolvendo os ouvintes na música ímpar do *Reino de Deus*.

O povo acorria às praias onde Ele se encontrava e amontoava-se, aguardando.

O bulício misturava-se à ansiedade geral, e o comércio das dores exibia os mais diferentes espécimes de sofrimento, que Ele, compadecido, atendia...

Dalmanuta era uma cidade de médio porte, à beira do Lago de Genesaré.

Enriquecida por um clima ameno, em face da sua situação geográfica, parecia derramar-se dos outeiros circunjacentes na direção das águas.

Era arborizada, e suas vinhas produziam capitosos vinhos, enquanto se lhe multiplicavam as variedades de grãos.

Ali as águas eram piscosas.

Burgo tradicional, às vezes competia com a bela e rica Magdala.

Jesus gostava de passar pelas cidades ribeirinhas, e Dalmanuta sempre se beneficiava da Sua presença.

Aquele não era um dia especial; no entanto, a Sua fama projetava-O alto, para desagrado dos seus já inúmeros inimigos.

Sucediam-se curas e multiplicavam-se os fenômenos incomuns por Ele operados: visão a distância, levitação no lago, multiplicação de pães e peixes, materialização, transfiguração...

Os homens parecem repetir-se através dos séculos.

O que é evidente para uns, é suspeitoso para outros.

Aquilo que a uns convence, a outros desacredita.

Os que veem e comprovam não servem de baliza para os que não viram e não constataram.

No passado era assim... e ainda hoje assim prossegue.

Quando Ele subiu na barca com os discípulos, rumou na direção de Dalmanuta.[2]

A primavera chegava às sombras densas.

Logo que se dispôs a falar, os *fariseus começaram a disputar com Ele, solicitando-Lhe um sinal do Céu, para O experimentar.*

Nenhum sinal serve para quem não deseja crer.

Medindo os demais pela própria pequena estatura, esses indivíduos estão sempre contra, pedindo sinais, atacando.

Todos os grandes homens têm sido vítimas desses homens grandes e perturbadores.

Donos da verdade, enxovalham os demais, porque não se podem a eles igualar.

Mesquinhos e venais, disfarçam-se de defensores da verdade, que conspurcam, para impedir que se destaquem os *filhos da luz.*

Mas eles não merecem consideração nem apreço; não são dignos de atenção.

2. Marcos, 8: 10 a 13 (nota da autora espiritual).

Discutidores, buscam sempre confundir, por serem incapazes de ensinar corretamente.

Sempre enxergam os erros alheios ou o que supõem como tal, porque errar é o seu cotidiano, facilmente projetando a sombra nos outros e logo a identificando...

Jesus os conhecia e não lhes retribuía atenção; nunca os valorizou, destituídos que eram de valor.

Porque estivessem em quase todos os lugares, Jesus, suspirando profundamente, disse: – *Por que pede esta geração um sinal? Em verdade vos digo: sinal algum lhe será concedido.*

Ele era o *sinal.* Sua vida, Seus ditos e feitos eram o sinal.

Desde que *ninguém falava como Ele falava*, nem fazia o que Ele realizava, essa era a Presença.

Mas eles não queriam ver.

Cegos, viviam às apalpadelas, buscando o que desprezavam e desejando o que rejeitavam.

Dalmanuta, naquela tarde, não teve Jesus.

A multidão correu noutra direção, aquela para onde Ele foi, porque, *deixando-os, embarcou de novo, e foi para outra margem.*

...Eles, os fariseus, não O mereciam.

7

A TRANSCENDENTE SINFONIA DO AMOR

Dia que prenunciava calor.

Desde cedo as nuvens esgarçadas passavam céleres, sopradas por favônios lentos, deixando o céu de azul-turquesa despido, silencioso e profundo, no qual o Astro-rei espraiava-se, com abundância de luz.

As tarefas começaram pela madrugada.

Aqueles homens simples e despretensiosos, que antes não aspiravam mais que à conquista do pão diário, ao modesto conforto do lar e à dádiva de bons vizinhos, subitamente estavam projetados para fora das comezinhas conquistas, procurados por desconhecidos loquazes e interesseiros que, por seu intermédio, desejavam chegar a Jesus.

Repentinamente se viam num torvelinho que não sabiam como contornar, prosseguindo nas suas fainas, que nunca mais seriam as mesmas...

Estavam em junho, e o calor abrasava mais do que noutras ocasiões.

Aquele dia, especialmente, se apresentava longo, parecendo que as horas não passavam.

Havia algo no ar que os assaltava em preocupação inabitual.

Ainda não se haviam acostumado à nova situação.

Acompanhavam o Amigo e viam-nO, gigante, a cada momento. Deslumbravam-se, mas não compreendiam o que estava acontecendo. Não tinham o hábito de reflexionar, menos ainda o de penetrar nas intrincadas complexidades da fé religiosa.

Jesus era diferente.

Seus discursos rasgavam as *carnes da alma*, como lâminas aguçadas, que cicatrizavam logo com o bálsamo da esperança.

Quem O fitasse embriagava-se na luminosidade dos Seus olhos mansos.

Os Seus feitos jamais foram vistos antes, e todo Ele era único.

Nunca houvera alguém que se Lhe igualasse.

A suavidade da Sua voz alteava-se sem desagradar, e a Sua energia nunca magoava, exceto aos cínicos e hipócritas, que tentavam confundi-lO, perturbar-lhe o Ministério.

Era, sim, uma revolução, aquilo que Ele pregava, porém, de vida e não de morte; para a paz, jamais para a destruição, e a Sua espada – a Verdade – servia para separar a criatura dos seus embustes e paixões...

Buscavam-nO todos, e isso confundia os seus discípulos mais próximos, que não entendiam.

O povo, que vivia esmagado, exausto de sofrer a injustiça social, seguia-O, aguardando apoio e libertação...

Os opressores, os ricos e debochados, que pareciam duvidar d'Ele, também O buscavam, apresentando suas feridas morais ou disfarçando-as. E Ele os atendia também, conforme as necessidades que apresentavam.

A cada um, dispensava auxílio especial, próprio, mantendo-se indiferente à bajulação e ao sarcasmo.

Ainda não haviam sido lançadas as bases do *Reino de Deus.*

Jesus chamava a atenção e demonstrava a Sua autoridade, pouco a pouco.

A revelação tem que ser progressiva. As criaturas não podem alimentar-se do que não têm condição para digerir, por isso a Verdade é desvelada, a pouco e pouco, a fim de não afligir ou não ser identificada.

O *Deus de vivos* trabalha pelo crescimento dos seres e não pelo seu aniquilamento. Por essa razão, a Sua Mensagem renovadora fazia-se apresentada com sabedoria, pois que ela alterava por completo os parâmetros existenciais, os objetivos humanos, quase alienando aqueles que não possuem estrutura para realizar as mudanças, conforme devem ser feitas...

Jesus sabia-o. Psicoterapeuta especial, medicava, penetrando o ser com a luz incomparável da Sua ternura.

A Sua proposta firmava-se na construção da criatura integral, na qual predominassem a abnegação, o espírito de sacrifício, a compreensão e a renúncia de si mesmo.

Aqueles eram dias ásperos, e ásperos também eram os corações.

Não poucas vezes, os sacerdotes e escribas, os fariseus e saduceus buscaram-nO com maldisfarçada hipocrisia, para comprometê-lo. Suas perguntas dúbias tinham finalidades nefandas; seus sorrisos melosos ocultavam a ira, a inveja, o despeito, e tudo faziam *para perdê-lO*.

Jesus conhecia-os, devassava-os com o olhar e os desarmava...

Naquele dia de junho, quando o Sol murchava, devorado pelo crepúsculo, e as montanhas ao longe se adornavam de ouro em brasa do poente, destacou-se da multidão que O seguia um escriba, que O ouvira discursar e discutir, *e vendo que Jesus lhes tinha respondido bem, perguntou-Lhe*:[3]

– *Qual é o primeiro de todos os mandamentos?*

A pergunta ecoou nos ouvidos da multidão, que mais d'Ele se acercou, a fim de ouvir-Lhe a resposta.

Aquele era o momento máximo do ministério até então vivido.

Toda a preparação anterior era para aquele instante.

Estaria Ele com ou contra a Lei Antiga? Quais seriam os seus planos e estratégias? – pensavam todos.

A indagação direta exigia uma resposta concisa e clara.

Jesus então ripostou, tranquilo:

– *O primeiro é: Ouve, Israel! O Senhor, nosso Deus, é o único Senhor; amarás o Senhor, teu Deus, com todo o teu coração, com toda a tua alma, com todo o teu entendimento e com todas as tuas forças.*

---

3. Marcos, 12: 28 a 34 (nota da autora espiritual).

Uma sinfonia mística embalou o ar morno do entardecer, enquanto suave brisa, que soprava do mar, refrescou a Natureza, desmanchando-Lhe os cabelos.

Ele prosseguiu, suave e canoro:

– *O segundo é este: Amarás o teu próximo como a ti mesmo. Não há outro mandamento maior que esses.*

Ante o silêncio da multidão extasiada, podia-se perceber que a Sua revolução igualava todos os seres no amor: vencedores e vencidos, poderosos e escravos, ricos e pobres, nobres e plebeus, cultos e incivilizados possuíam no amor ao seu próximo um lugar-comum nivelador...

Mas era necessário amar-se, desenvolver os valores íntimos adormecidos no ser, a fim de espraiar-se em interesse pelo próximo.

Aquele que não se ama a ninguém ama. Explora-o, *negocia* o sentimento, transfere-o por seu intermédio e logo o abandona, decepcionado consigo mesmo.

Quem se ama sem egoísmo, sem o desejo de acumular, porém, vive para repartir, sem a paixão da posse, mas com o sentimento de libertação, ama o seu próximo, conforme Deus nos ama.

O amor é sustento da vida, por ser de origem divina e ter finalidade humana.

Subitamente, despertando da magia envolvente da Sua palavra, as pessoas entreolharam-se, sorriram, tocaram-se.

O escriba, emocionado, disse-Lhe:

– *Muito bem, Mestre. Com razão disseste que Ele é o único e que não existe outro além d'Ele; e que amá-lO com todo o coração, com todo o entendimento, com todas as forças e amar o próximo como a si mesmo valem mais do que todos os holocaustos e sacrifícios.*

Permaneciam as vibrações de paz, e as ansiedades dos corações se acalmavam.

Favônios, agora perfumados pelos loendros em flor, varriam o ambiente, inebriando as almas ali reunidas.

Vendo Jesus que ele respondera sabiamente, disse-lhe:

– Não estás longe do Reino de Deus.

Era um prêmio para o homem nobre, honesto, sincero em suas crenças.

Estavam lançadas as sementes de luz.

A partir daquele momento não mais sombras; eles conheciam quais eram os meios de que se deveriam utilizar em quaisquer situações:

Nunca revidar ao mal – amar.

Jamais ceder ao crime – amar.

Não desistir – amar.

Maltratados, e amando.

Incompreendidos, porém amáveis.

Estava inaugurada a Era Nova, e a transcendente sinfonia do amor iniciava o período de estabilização do bem na Terra.

...E ninguém mais ousava interrogá-lO.

Nem era necessário.

8

NUNCA MAIS A SÓS

Emaús, ao tempo de Jesus, era uma aldeia bucólica e movimentada, que se encontrava distante de Jerusalém, aproximadamente oito quilômetros ao noroeste.

Na sua história se insere a batalha travada por Judas Macabeu, no ano 66 a.C., que houvera vencido os sírios comandados por Górgias, retornando ao domínio de Israel.

O simpático lugarejo não possuía nada de especial, sendo antes uma porta de acesso para a Síria e outras regiões do Oriente.

O seu clima experimentava as mesmas amenidades e vicissitudes que o de Jerusalém e o seu comércio era relativamente modesto.

Emaús passaria à posteridade graças a um acontecimento de que fora objeto.

Os dias eram, naquela ocasião, assinalados pela tristeza e pela saudade.

A notícia e a constatação da ressurreição do Mestre mais aguçaram as expectativas de novos reencontros.

O amor e a ternura têm este condão: quanto mais perto, maior a necessidade de convivência. A alma sente sede da presença e se embriaga na convivência renovadora, procurando não despertar para a realidade do cotidiano.

Haviam sido felizes todos os momentos com Jesus. Agora ausente, as lembranças alegravam e vergastavam os companheiros daquele banquete de luz, que se interrompera abruptamente, de forma trágica.

Eles repassavam as memórias e davam-se conta de que não haviam correspondido à expectativa do Rabi, que tanto confiara na sua fragilidade de homens simples e alguns deles bastante ignorantes.

Não podiam imaginar que todas aquelas palavras de advertência eram-lhes direcionadas, a fim de que tivessem resistência no momento do testemunho.

Certamente, não somente Judas sofrera a defecção moral de entregá-lO aos inimigos. Pedro também O negara, e envergonhava-se profundamente. Quando soube que Ele voltara, apesar de contente, quase caiu em prostração, imaginando a forma como iria enfrentar-Lhe o olhar compassivo e misericordioso.

O discípulo, arrependido, entregava-se com frequência ao pranto convulsivo, porque não se lhe apagava da mente a fraqueza moral que o tomara naquela noite inesquecível...

Todos, porém, ou quase todos, O abandonaram; fugiram, amedrontados, tentando poupar a vida, sem se darem conta de que, perdendo-a, tê-la-iam ganhado.

– *Viria, o Amigo, visitá-los?* – interrogavam-se em silêncio dolorido. – *Até quando Ele ficaria com os seus corações temerosos, e quais os rumos que lhes daria, a fim de que a Boa-nova se espalhasse pelo mundo, como a claridade do Dia?*

Tudo era incerto naqueles momentos, acostumados que estavam com Ele, em cujo lado tudo eram certezas.

Assim, algo aturdidos, não tinham alternativa senão a de aguardar os acontecimentos.

As viagens eram feitas com muita dificuldade naquele período.

Os caminhos, quase impérvios, dificultavam o acesso às diferentes comunidades, especialmente àquelas destituídas de maior importância. Bandoleiros e assaltantes se locupletavam na rapina e no intimidamento aos solitários que se atreviam a vencer as distâncias. Por essa razão, sempre se formavam grupos e caravanas, particularmente quando se deveria atravessar o deserto ou as gargantas entre montanhas...

Dois discípulos, no mesmo dia da Ressurreição, deveriam viajar a Emaús, que se encontrava distante de Jerusalém cerca de sessenta estádios (cada estádio media 125 passos, ou seja, 206,25 m).

As notícias que lhes haviam chegado, anunciando o retorno do Mestre, levaram-nos a dialogar com entusiasmo sobre as perspectivas do futuro.

Saíram da cidade e ganharam a estrada de acesso ao caminho de Emaús, e, entusiasmados, quase não se deram conta do estranho que se lhes acercara e iniciara uma conversação. Pareciam estar cegos para a realidade, ante as perspectivas do futuro.

Inesperadamente o Desconhecido indagou-lhes:

– *Que palavras são essas que trocais enquanto andais?*[4]

Sem dar-se conta do que estava acontecendo, um deles, de nome Cléofas, perguntou:

– *Tu és o único forasteiro em Jerusalém a ignorar o que lá se passou nestes dias?*

– *Que foi?* – indagou, por sua vez, o acompanhante.

Quase a duas vozes, ambos responderam em ritmo acelerado:

– *O que se refere a Jesus de Nazaré, profeta poderoso em obras e palavras diante de Deus e de todo o povo; como os príncipes dos sacerdotes e os nossos chefes O entregaram, para ser condenado à morte e crucificado. Nós esperávamos que fosse Ele quem libertasse Israel, mas com tudo isso, já lá se vai o terceiro dia desde que se deram essas coisas... Verdade é que algumas mulheres do nosso grupo nos deixaram perturbados, porque foram ao sepulcro, de madrugada, e não Lhe achando o corpo, vieram dizer que Ele vivia. Então, um dos nossos foi ao túmulo e encontrou tudo como as mulheres haviam dito. Mas a Ele, não O viram.*

O dia esplendia de Sol. Havia uma orquestração maravilhosa no ar e a Natureza se abria ao encantamento do que logo sucederia.

Complexas são as Soberanas Leis de Deus e sábia a Sua Justiça.

A verdade teria que ser ministrada vagarosamente, lição por lição, a fim de que a pudessem absorver e nunca mais abandoná-la.

O peregrino, então, falou-lhes com energia e bondade:

4. Lucas, 24: 13 a 35 (nota da autora espiritual).

– Ó homens sem inteligência e lentos de espírito em crer em tudo quanto os profetas anunciaram! Não tinha o Messias que sofrer essas coisas para entrar na Sua glória?

...E, abordando com lucidez e magia os conteúdos das Escrituras, comentou-os, referindo-se aos profetas, desde Moisés e suas mensagens de advertência, despertando-os para a compreensão dos acontecimentos que se apresentaram funestos, porém, necessários naquelas circunstâncias.

A caminhada chegava a termo. Os viandantes iam adentrar-se na aldeia para buscar uma hospedaria, quando perceberam que Ele se preparava para seguir adiante.

O Sol declinava, e o ar pesado da tarde cedia lugar à brisa refrescante, que soprava dos montes em derredor.

Nesse comenos, movidos por um sentimento inabitual, os viandantes O convidaram a ficar com eles, dizendo:

– Fica conosco, Senhor, pois a noite desce, e o dia já está quase no ocaso.

Ele ficou, adentrou-se na pousada, e, à hora do repasto, quando ia ser servido o pão, Ele o tomou em Suas mãos e o abençoou, entregando-lhes algumas nacadas.

Só então se lhes abriram os olhos e deram-se conta de que Aquele que os acompanhara, confortara e iluminara, era Jesus.

Ali estavam as chagas assinalando a crucificação, os mesmos olhos penetrantes e transparentes de beleza, a doçura na voz e a irradiação de infinita paz.

Embora não O houvessem identificado antes, o coração lhes ardia no peito, e desconhecido júbilo dominara-os por todo o caminho.

Não tinham o que falar, e nada era necessário dizer.

Quando o Senhor desapareceu da sua frente, não tergiversaram, retornando imediatamente a Jerusalém.

Quando chegaram à *cidade dos profetas*, encontraram os discípulos reunidos, e, tomados de ímpar felicidade, narraram tudo quanto lhes havia acontecido na viagem, informando com segurança:

– *Sim, o Senhor apareceu, voltou para que nunca mais nos sintamos a sós.*

A sinfonia da esperança cantava no ar a balada dos júbilos sem fim.

A Era Nova se estabelecia, fundando os seus alicerces na ressurreição de Jesus, sem cuja base tudo se reduziria a mitos injustificáveis.

9

O LIBERTADOR

Jerusalém, a tradicional cidade dos profetas, era também o núcleo acadêmico das dissensões e da presunção.

Capital orgulhosa de Israel, ali se disputavam os ouropéis e vaidades humanas, ao ônus de intrigas, de bajulação, do vil comércio da corrupção moral.

O Templo soberbo no Monte Moriá deslumbrava pela imponência. Desde que reerguido e embelezado por Salomão, tornara-se o símbolo da raça vencida, mas não submissa, e do poder do pensamento monoteísta no imenso *oceano* politeísta.

As festas religiosas celebradas tinham também um caráter civil, nacionalista, e vice-versa, graças às quais os judeus demonstravam aos romanos o seu desdém por César, pelos seus deuses e por eles todos.

Com habilidade, às vezes maldisfarçada, exteriorizavam o desprezo que nutriam pelo estrangeiro dominador e pelas suas tradições.

Portadores de fina ironia, fariseus e saduceus anatematizavam o jugo político e seus chefetes, beneficiando-se das migalhas que disputavam com exacerbada cupidez e sob veladas ameaças punitivas, quando não deles mesmos, de Deus, para quem transferiam os seus anelos de vingança rancorosa.

A festa de Pentecostes atraíra as gentes de todas as tetrarquias e de outras terras.

As evocações do passado eram predominantemente afirmações da eleição especial de que gozavam por parte da Divindade.

Estavam no ar os salmos, as hosanas, as fanfarras, os sons melódicos dos instrumentos de prata e a mixórdia de cores, de vozes, de animais e pessoas pelos átrios, nos seus arredores, dentro do Templo.

Exibiam-se os poderosos, mendigavam os desprovidos de recursos, discutiam os aventureiros, negociavam os ambiciosos, tramavam os perversos.

A Torre Antônia, esguia e poderosa, velava próxima, com os olhos romanos direcionados provocativamente para as suas áreas.

Os ódios espumavam entre dentes rilhados, e as suspeitas alimentavam-se de ignóbeis ardis.

Respiravam-se na cidade glória e miséria, poder e carência, beleza e vilania moral.

Fora dos muros, o Jardim das Oliveiras espreguiçava-se monte acima, assinalado pelo verde-musgo das árvores venerandas, sobranceiras, generosas...

Ir a Jerusalém era sempre uma ambição máxima de todo israelita que vivesse em outras terras.

Sacrificar aves e animais em sinal de arrependimento dos erros, de reparação de crimes ou de gratidão a Deus representava honra disputada com veemência.

Jerusalém era-lhe o pináculo da glória, e o Templo, a felicidade total...

Naquela cidade, deveria o Mestre desvelar-se.

Os intelectos, vazios de luz e atulhados de textos confusos, sutilmente utilizados a benefício próprio, compraziam-se nas intérminas discussões de insignificâncias da Lei, da *Torá*, das vacuidades a que davam magnitude.

Essas pessoas eram profissionais da retórica inútil e dourada, as fomentadoras das perturbações sociais e político-religiosas.

Fariseus, que se celebrizaram pela pusilanimidade, ostentavam vestes brancas, alvinitentes, que lhes não abafavam o odor de cadáveres vivos...

Saduceus presunçosos desfilavam aparência pudica, arremetendo contra tudo, na sua atormentada incredulidade. Nutriam-se de acusações permanentes e engalfinhavam--se em debates vigorosos, anelando pelo apedrejamento dos seus opositores.

Ninho de serpentes perigosas aguardava o Cordeiro; matadouro infecto esperava a vítima...

Jesus o sabia, mas não se impressionava com eles, nem os temia com as suas exprobrações e aparências mentirosas.

Mais de uma vez os enfrentara e desarmara. Silenciara-os, levando-os à incontida fúria.

Por isso mesmo deveriam matá-lO. Urdiam planos; seguiam-nO; vigiavam-nO; interrompiam-nO, esperando surpreendê-lO.

Multiplicavam-se, aparecendo em todo lugar, erva má que eram, e não necessitava ser plantada, medrando em abundância...

O Mestre ergueu-se diante deles e do povo, dizendo, intemerato:

– *Não pode o Filho fazer nada por si mesmo se não vir o Pai fazê-lo, pois tudo quanto o Pai faz, também o Filho o faz igualmente. Porque o Pai ama o Filho e mostra-lhe tudo quanto faz; mostrar-lhe-á obras maiores do que estas, de modo que ficareis admirados...*[5]

Um grito rouquenho interrompeu-o:

– *Quem pensas que és?* – estrugiu em ruidosa, histérica gargalhada.

Sem oferecer-lhe importância, Ele deu curso à revelação em paz:

– *Assim como o Pai ressuscita mortos e lhes dá vida, assim também o Filho dá vida àquele que quer. O Pai não julga ninguém, mas entregou ao Filho o poder de tudo julgar, para que todos honrem o Filho como honram o Pai. Quem não honra o Filho, não honra o Pai, que O enviou. Em verdade, em verdade vos digo: quem ouve a minha palavra e acredita n'Aquele que me enviou tem a vida eterna e não incorre em condenação, mas passou da morte para a vida.*

Erguendo os punhos fechados e agitando-se, velho barbudo, fariseu confesso, descarregou o ódio:

– *Blasfêmia! Ele blasfemou. Diz-se igual a Deus e até maior do que Deus. Morte ao traidor!*

---

5. João, 5: 19 a 47 (nota da autora espiritual).

Murmúrios, imprecações, empurrões toldaram a paz do ambiente.

Jesus ainda não havia terminado e, com a voz inalterada, insistiu:

– *Digo-vos que a hora vem, e é já, em que os mortos hão de ouvir a voz do Filho de Deus, e os que a ouvirem viverão. Assim como o Pai tem a vida em si mesmo, assim também concedeu ao Filho o ter a vida em si mesmo, e deu--Lhe o poder de julgar, por ser Filho do Homem.*

Ali estavam muitos cadáveres que respiravam. Eram mortos para a verdade e estavam ouvindo-a sem a entender, quando poderiam incorporá-la e viver.

Mas havia outros mortos para os quais o Mestre falaria...

– *Não vos admireis com isso* – acentuou, vigoroso –, *porque vai chegar a hora em que todos os que estão nos túmulos ouvirão a Sua voz; os que tiverem praticado boas obras sairão, ressuscitando para a vida, e os que tiverem praticado o mal hão de ressuscitar para a condenação. Eu nada posso fazer por mim mesmo; conforme ouço é que julgo, e o meu juízo é justo, porque não busco a minha vontade, mas a vontade d'Aquele que me enviou.*

Novo alarido e interrupção.

– *Levemo-lO ao poste das lapidações* – berrou truculento esbirro do sumo sacerdote. – *É passível o seu crime de morte sem julgamento.*

O julgamento está impresso na consciência de cada ser. Mesmo os mortos, ao despertarem na Vida, não fugirão do Estatuto Divino que carregam em si mesmos. A sua defesa são as boas obras, e a sua condenação, as más.

Jesus nada pode fazer, porquanto cada qual é o seu próprio juiz, seu acusador, seu defensor.

A palavra viril, irretocável, prosseguiu explicando:

– *Se eu desse testemunho de mim mesmo, o meu testemunho não seria considerado verdadeiro. Outro é o que dá testemunho de mim, e eu sei que o testemunho que Ele dá de mim é verdadeiro.*

Vós mandastes emissários a João, e ele deu testemunho da verdade. Não é de um homem que eu recebo testemunho, mas vos digo isto para que vos salveis; João era uma lâmpada que ardia e brilhava, e vós, por um momento, quisestes regozijar-vos com a sua luz. Mas eu tenho um testemunho maior do que o de João, pois as obras que o Pai me deu para consumar, essas mesmas obras que faço, atestam a meu respeito, que o Pai me enviou. E o Pai, que me enviou, deu, Ele mesmo, testemunho de mim.

Nunca ouvistes a Sua voz, nem vistes a Sua face, e a Sua palavra não habita em vós, porque não acreditais no que Ele enviou. Esquadrinhais as Escrituras, julgando ter nelas a vida eterna; são elas que dão testemunho de mim, e não quereis vir a mim para terdes a vida. Não é dos homens que recebo a glória, mas conheço-vos e sei que o amor em Deus não existe em vós.

Aquelas palavras penetraram os hipócritas como afiados punhais.

Deus não lhes habitava a alma.

Elogiavam-se reciprocamente e repartiam homenagens inúteis entre eles.

Coroavam-se de folhas de louro mortas e de metais cinzelados também sem vida.

Adornavam-se uns aos outros, porque não acreditavam realmente na vida eterna.

Tanto haviam mentido a respeito da imortalidade, da Justiça de Deus, do Seu Amor, que ficaram áridos, sem fé, sem Deus...

O silêncio fez-se sepulcral.

Ele, então, agigantando-se mais, concluiu:

– *Vim em nome de meu Pai, e não me recebeis, mas se vier outro em seu próprio nome, recebê-lo-eis. Como podeis acreditar, vós que tirais a glória uns dos outros e não buscais a glória que vem de Deus? Não penseis que eu vou acusar-vos ao Pai; outro vos acusará... Moisés, em quem depositastes a vossa esperança. Se acreditásseis em Moisés, acreditaríeis em mim, pois ele escreveu a meu respeito. Mas se não acreditais nos seus escritos, como acreditareis nas minhas palavras?*

Calou-se. Havia estupor nas faces macilentas, sorrisos nos rostos sofridos, alegrias nos puros de coração, esperanças nos deserdados do mundo, que gritaram:

– *Aleluia! Exultemos e ouçamo-lO, Ele, que conhece a verdade.*

De fato, Jesus não acusa jamais. Ele é todo amor. Porém Moisés, a Lei que todos conhecem, apontará no tribunal da consciência quem é justo e quem é criminoso...

Jerusalém era a Capital de Israel.

Jesus é a Luz do mundo.

Libertador!

10

O FINAL DOS TEMPOS

Jerusalém era uma cidade esplêndida, que ostentava o seu suntuoso Templo no Monte Moriá. Tratava-se de uma edificação imponente, representando o orgulho da raça hebreia, que ali homenageava o Deus Único, o mais poderoso de todos os deuses, revelado pela profecia ancestral.

A cidade, construída com severidade, rivalizava com as mais belas da sua época, ornamentada por tesouros de arte e de cultura.

Não obstante o seu poder e fascínio, o famoso santuário era relativamente devassado pela Torre Antônia, que disputava o poder de Roma com o Altíssimo. Nela se aquartelavam a governança do país e sua soldadesca, à exceção de Pilatos, o reizete que se deixava manipular pelo imperador de Roma, que residia em suntuoso palácio, noutra área nobre da urbe.

Num dos montes, fora dos muros da cidade, encontrava-se o Getsêmani ou Jardim das Oliveiras, que seria praticamente destruído por Tito, o Conquistador, filho de Vespasiano, quando venceu os judeus e mandou crucificar quase seiscentos mil.

Ninguém que se adentrasse no Templo, que não se curvasse à sua grandiosa majestade. Colunas trabalhadas em pórfiro da melhor qualidade, formando átrios e salas sucessivas, atingia o máximo esplendor na parte interior, onde se encontrava o Santuário propriamente dito, em magnífico salão, no qual se guardavam os objetos sagrados, entre outros, a Arca da Aliança, os papiros e pergaminhos da mais recuada Tradição.

Sacerdotes, levitas, fariseus, comerciantes, vendedores de todo tipo, cobradores de impostos, agiotas, religiosos, vadios e aventureiros misturavam-se em alarido constante, discutindo câmbios, interesses chãos, negócios de alto preço, oferendas sagradas, em dialetos variados, que tornavam o ambiente, desde as suas portas externas até a sala de orações, um verdadeiro mercado das ambições humanas. Simultaneamente, era considerado como a *entrada do paraíso*, por onde transitavam os zelosos fiéis que almejavam a convivência com Jehová.

Pesados reposteiros caíam das suas portas, vedando a passagem aos intrusos, enquanto monumentais decorações, elaboradas sob as ordens de Salomão, davam-lhe destaque incomum e impressionavam profundamente àqueles que o visitavam.

Rico de aparência, o monumento vivia vazio de fé e repleto do orgulho vão daqueles que o frequentavam. Dentro e fora ostentava poder e glória, fortuna e vaidade, mas também intrigas infinitas, rudes disputas, afrontas e misérias numerosas, porque onde se encontram as criaturas, aí vicejam as suas paixões, particularmente se não são vigiadas pela observância do equilíbrio moral.

Ali, portanto, como em toda parte onde prevalecem os interesses imediatistas em detrimento das aspirações superiores, predominavam as mazelas humanas que disputavam primazia.

Vez que outra, o Mestre visitava Jerusalém e tivera oportunidade de adentrar-se no Templo, com o objetivo de observar o luxo e a extravagância em exibição desordenada.

Quando já se acercavam os *tempos anunciados*, encontrando-se com os *doze*, na *cidade dos profetas*, foi em visita ao Templo, conforme era exigido a todos os judeus.

Ante a construção soberba, um dos discípulos disse-Lhe:

– *Vede, Mestre, que pedras e que construções!*[6]

Penetrando no futuro com a sua visão percuciente e profunda, Jesus respondeu, não sem certo acento de amargura:

– *Vedes estas grandiosas construções? Pois, não ficará pedra sobre pedra: tudo será destruído.*

Ante o rude vaticínio, o interlocutor foi tomado de angústia e, em silêncio, o grupo dirigiu-se ao Monte das Oliveiras, de onde se podia contemplar toda a cidade, algumas das suas portas de acesso e a formosa construção de onde saíram.

Havia expectativas naturais e dolorosas naqueles corações simples e desataviados, desacostumados às grandes reflexões.

6. Marcos, 13: 1 a 25 (nota da autora espiritual).

Na primeira ensancha, Pedro, Tiago e João, que Lhe estavam ao lado, pediram:

– *Dizei-nos quando tudo isso acontecerá e qual o sinal a anunciar que estas coisas estão próximas.*

Examinando o que deveria acontecer e já se encontrava delineado para o porvir, Jesus começou a proferir o Seu *sermão profético*:

– *Acautelai-vos, para que ninguém vos iluda... Surgirão muitos com o meu nome, dizendo: Sou eu!... E seduzirão a muitos. Quando ouvirdes falar de guerras e de rumores de guerras, não vos alarmeis: é preciso que isso aconteça, mas não será o fim. Erguer-se-ão povo contra povo e reino contra reino; haverá terremotos em vários lugares, haverá fome. Isso será apenas o princípio das dores.*

Estai vigilantes!...

O silêncio fez-se natural aos ouvintes estarrecidos. Não podiam imaginar que o soberbo edifício, construído para suportar todas as vicissitudes e combates, pudesse vir abaixo... Tampouco podiam conceber que se acercavam dias terríveis, quais aqueles que estavam sendo anunciados.

O mundo terrestre, por mais cativante, é elaborado nos efeitos do mundo primordial, aquele de onde tudo procede e para onde tudo retorna: o espiritual.

A existência física mais louçã e bela emurchece e passa, como tudo que transita no mundo das formas materiais, somente permanecendo as construções morais e as do espírito eterno.

O efêmero é também ilusão de breve curso.

Anestesiado pelo corpo, o ser real se apega aos engodos e concebe o prazer como válvula de realização, entregando-se, inerme, à dependência dos gozos sensualistas, da mesa farta, da cama confortável, dos relacionamentos de destaque, do sexo em desalinho, dos vícios extravagantes e destruidores do corpo e da alma...

Desequipado de compreensão momentânea para a sua realidade, não se dispõe a penetrá-la, de forma que possa enfrentar todas as ocorrências com altivez e denodo, perseguindo as metas legítimas que têm primazia, porque de sabor eterno. Por isso, facilmente se deixa consumir, mergulhando nos fossos da depressão, da revolta, do autoaniquilamento pelas dissipações ou pela indiferença em relação a tudo que é nobre e bom.

Compreendendo a aflição silenciosa que assaltava os amigos, o Senhor esclareceu:

– *É necessário que tudo quanto teve início no mundo das formas se modifique, porquanto a vida marcha para a perfeição, para a eternidade. Porque as criaturas são ambiciosas pela conquista exclusiva daquilo que apenas atende aos interesses mesquinhos, as suas construções são transitórias, em razão da volúpia dos seus edificadores, que se não contentam em perpetuá-las além dos seus dias de orgulho e glória mentirosa...*

Como consequência, atiram-se umas contra as outras, em guerras odientas, nas quais se exterminam reciprocamente e destroem as magníficas edificações do passado e do presente.

Esse desalinho procede desde o começo dos tempos, quando o homem, ainda primitivo, disputava a caça e o albergue. À medida que avançou no conhecimento, ao invés de adquirir mansuetude, se tornou mais perverso e dominador, esquecido da sua transitoriedade no corpo. Por essa razão, quando triunfador hoje, torna-se escravo amanhã, e quando sorri, indiferente aos sofrimentos dos outros, passa a chorar mais tarde...

Como a Terra também se encontra em evolução, os terremotos e vulcões, as tempestades e os acontecimentos coletivos se farão sucessivos, demonstrando a inevitabilidade da morte.

Os sentimentos belicosos prosseguirão dirigindo os pigmeus morais, que estabelecerão mecanismos de perseguição a todo aquele que se lhes opuser, em razão dos ideais que acalente, mantendo-se acima das suas ambições desconcertantes e mesquinhas.

Os filhos desrespeitarão os pais, e estes os entregarão às autoridades por bagatelas, desde que tenham satisfeitas as suas paixões inferiores e mundanas.

Os astros se abalarão, *e destruições jamais vistas ocorrerão em toda parte, consumindo as criaturas, os seus animais e haveres, que voltarão ao pó.*

Tudo isso resultado da insânia mental e moral dos próprios indivíduos que, não sendo vulneráveis ao amor de Nosso Pai em tudo presente, serão vítimas de si mesmos através do sofrimento reparador, que os advertirá para os rumos que devem imprimir à existência.

Mas não será ainda o fim da Humanidade, nem da Terra.

Ele lançou o olhar compassivo para o céu ardente de Jerusalém e, desvelando o Seu destino, prosseguiu:

– Logo mais, o Filho do Homem estará oscilando num madeiro de infâmia, como trapo abandonado ao sabor do vendaval... Passada, no entanto, a noite escura da morte, Ele ressurgirá das sombras e se erguerá como incomparável madrugada, que nunca mais perderá seu brilho.

Os séculos formarão milênios, até que seja restaurada a Sua Mensagem de amor e de paz, fecundada pelo adubo do sangue dos mártires e dos idealistas, de forma que se estabeleçam a verdadeira fraternidade e o bem comum.

O fim dos tempos infelizes, nos quais o desamor forma legiões e a prepotência se manifesta em todo lugar, cederá terreno ao Reino de Luz, que venho anunciar desde agora.

Tende bom ânimo, porém, porque eu vigiarei convosco durante esse período de testemunhos e de solidão, de construção da Era Nova, não vos deixando tombar nas armadilhas que vos serão levantadas, isto, porém, se permanecerdes fiéis aos postulados que vos ofereço.

O *sermão profético* silenciara nos lábios do Rabi compassivo, enquanto os companheiros, observando que a noite aproximava-se, e receando-a, acercaram-se mais, como se desejassem proteção em sua fragilidade, facultando-Lhe acrescentar:

– *Jamais vos abandonarei. Eu vos conheço e vos amo. Os males que vos infligirão somente romperão a carne corruptível; nunca, porém, atingindo o Espírito Imortal.*

Tende ânimo, e em qualquer situação, nos distantes tempos que virão, eu sempre estarei ao vosso lado.

No ano 70, Tito, após batalhas cruentas, com as suas legiões venceu os judeus, derrubou as fortificações de Jerusalém e a quase totalidade das suas muralhas, não deixando *pedra sobre pedra* do Templo que não desmoronasse.

11

ERA A DESPEDIDA[7]

O mês de *nissan*[8] iniciara-se sob lufadas frias decorrentes do largo inverno que ainda não terminara. Os acontecimentos haviam se precipitado em catadupas de sordidez e de infâmias.

À acalorada recepção de Jesus, entrando triunfalmente em Jerusalém, sucedeu-se a difamação pelos artífices da intriga e do ódio.

Nuvens carregadas de insegurança e medo pairavam sobre a cidade monumental.

Murmurações e cochichos anunciavam tragédia tramada na ação cavilar da traição.

Judas estava sucumbindo ao espicaçar da ambição, da insegurança, dos receios injustificáveis.

Respirava-se em toda parte uma psicosfera carregada, intoxicante.

---

7. João, 13: 33 a 35.

8. *Nissan*: março-abril (notas da autora espiritual).

Antes dos grandiosos testemunhos na Humanidade, ocorre drástica mudança no comportamento social das criaturas, embora sem que se saiba por quê.

Os gênios da impiedade, nesses momentos, acercam-se dos homens que os hospedam psiquicamente e geram um bafio pestilencial que sombreia, que adoece as mentes e os corações.

O ser humano é sempre vítima das suas próprias construções mentais, das suas elaborações psíquicas.

Quando pensa de forma edificante, respira no planalto do bem-estar; quando o faz negativamente, asfixia-se nos pântanos desolados...

Os amigos de Jesus ainda não se haviam dado conta da gravidade da hora, nem sequer daqueles momentos últimos, daquela derradeira primavera que passariam com Ele.

O volume das emoções, a sucessão de eventos aturdiam-nos, e eles se encontravam quase hebetados.

Assim, a ceia fora preparada com esmero.

Escolhida a casa, os cuidados foram tomados com zelo.

Havia treze pratos sobre a toalha de linho, que terminava em franjas quase tocando o solo.

Igualmente bem colocadas estavam as treze taças de cobre burnido, que reluziam à luz dos archotes e lâmpadas de azeite sobre vasos de barro cozido, que tremeluziam, e os assentos em almofadões derramavam-se sobre leitos largos, conforme o hábito oriental à época.

Ao longe, uma fímbria de luz do Sol colocava uma coroa de ouro nas nuvens azuis-acinzentadas.

A brisa ainda fria adentrava-se pela sala carreando os perfumes das primeiras flores silvestres, as rosas-de-saron...

Sucederam-se as iguarias: peixe assado e defumado, frutos secos, pastas que exsudavam azeite fino e acepipes variados.

Jesus lavou os pés dos amigos, sob os protestos deles, que não imaginavam a elevada significação daquele gesto.

O diálogo fizera-se natural.

As informações eram facultadas com naturalidade.

Tratava-se de uma despedida, e fazia-se necessário detalhar esclarecimentos, apresentar planos para o futuro, advertir.

Nada, porém, ocorria ali de forma patética ou trágica. Mesmo a referência ao traidor, que os chocara, não deixara mais penosas impressões.

Jesus amava os companheiros, que ainda se encontravam, de certo modo, em plena infância espiritual e tinha-lhes compaixão, prevendo os testemunhos a que, frágeis, seriam chamados depois.

Somente lhes podia dizer o que lhes fosse possível suportar.

O tempo concluiria o discurso não terminado...

Ele sabia que o mundo se aborreceria deles, das suas vozes, da sua pureza.

Judas levantou-se e saiu, deixando vazio o seu lugar.

Era o momento do desertor, que avançava para a torpe traição.

Judas foi vendê-lO, e Ele o olhou, sabendo o que estava sendo feito, mas nada disse, nem era necessário.

Depois de glorificar o Pai em inesquecível hino de louvor, o Mestre, enternecido, despediu-se dos amigos.

– *Filhinhos, ainda estou um pouco convosco. Procurar-me-eis e, como disse aos judeus, vo-lo digo agora: Para onde eu vou, vós não podeis ir...*

As chamas crepitantes projetavam as sombras dos circunstantes na parede. Cresciam e diminuíam, qual ocorria com as suas ansiedades naquele momento culminante de despedida...

O silêncio na sala permitia a audição dos sons variados da Natureza em volta.

As estrelas espiavam ao longe, sem a presença do luar.

A Torre Antônia estava vigilante do alto, no interior da cidade amuralhada.

Jesus, logo mais, seria réu de morte, como, aliás, a ela estão condenados todos os seres, desde o instante do seu nascimento.

Ele prosseguiu, utilizando-se da quietude dos amigos:

– *Um novo mandamento vos dou: que vos ameis uns aos outros. Assim como eu vos amei, vós também vos deveis amar uns aos outros. É por isto que todos saberão que sois meus discípulos: se vos amardes uns aos outros.*

Fora oferecida a estratégia para o grande combate entre a luz do bem e a treva da ignorância.

O amor seria o sinal de identificação.

Ele já o recomendara em relação aos inimigos, aos perseguidores, aos déspotas, aos vingadores.

Agora o determinava para que vigesse entre os amigos, corroborando a tese na qual *a casa dividida rui...*

Ele sabia da transitoriedade dos propósitos humanos, conhecia a força das paixões primitivas, do orgulho, do egoísmo... Era necessário que os discípulos muito se amassem uns aos outros, a fim de poderem suportar tudo.

Se não for possível amar aquele com quem se convive, que partilha do mesmo ideal, que se senta à mesa, como fazê-lo em relação aos estranhos, aos dissidentes, aos acusadores, aos fomentadores da discórdia?

Somente quem treina o amor em círculo reduzido, equipa-se de recursos para amar a multidão.

Toda experiência deve partir do simples para o complexo, da tentativa para a realização.

...Para que saibam que sois meus discípulos.

Nenhum escudo, flama ou armadura alguma, para o grande e demorado combate, que certamente começa no campo interior, a imensa arena das decisões humanas.

O amor transcende todos os limites e é o sustentáculo da vida, mesmo quando não nominado, não identificado.

A sua presença altera para melhor os conteúdos existentes no mundo.

Procedendo de Deus, é como o oxigênio, sem cuja presença a vida orgânica perece.

Atributo dos anjos, é alimento para os homens, que ainda não o sentem em plenitude, salvadas algumas exceções.

Fruto do exercício, desenvolve-se e cresce, quanto mais é vivenciado.

É bem de consumo, que mais se multiplica quanto mais se doa.

Nunca se acaba, e sempre é vital.

Os amigos entreolharam-se preocupados.

A face do Mestre subitamente cobrira-se de acentuado palor, que a claridade dos archotes permitia perceber.

Ouviam-se a respiração e o pulsar disritmado dos corações.

Ele levantou-se, dispôs-se a sair.

Os companheiros seguiram-nO e a sala ficou vazia, como acontecera ao assento de Judas, que assim permanecia.

❧

Era a despedida.

Logo mais Ele estaria no Horto das Oliveiras, receberia o beijo do traidor, seguiria a sós para o martírio e a morte...

...Para a ressurreição.

Naquele momento, porém, era a despedida, era o amor que dá vida.

12

SERVIÇO E GALARDÃO[9]

O mês de *kislev*[10] estuava. O Sol despejava dardos de luz e calor, como se travasse violenta batalha com a Terra, ressecando-a, vencendo-a.

Os trigais pelos vales e na planície de Macna se erguiam, formando imenso tapete em repouso, sem o sopro agradável do vento.

O Mestre desvelara-se, há pouco, junto à fonte de Jacó, nas cercanias de Sicar, à mulher samaritana, que saíra a anunciá-lO, como profeta, a todos da cidade que a conheciam.

Penetrando-lhe a alma, o Senhor conquistara-lhe o coração, porque lhe não revolveu as feridas morais, antes as balsamizou, confortando-a dos duros golpes sofridos durante a existência dorida.

9. João, 4: 31 a 42.

10. *Kislev*: novembro-dezembro (notas da autora espiritual).

Quem não a conhecesse não lhe imaginaria as noites indormidas, as inquietações disfarçadas com sorrisos, as humilhações experimentadas.

O tributo à felicidade terrestre é pesada canga, que junge a padecimentos inomináveis. Somente aqueles que a carregam conhecem-lhe o peso, a constrição.

A mulher samaritana é um símbolo de perene atualidade.

Vítima, era tida como algoz pelo crime de ser mulher.

Espezinhada na sua fragilidade, era condenada por haver-se deixado seduzir...

Sempre tem sido assim. Os que tombam são acusados por haverem caído, como as violetas esmagadas sob as patas animais, que não deveriam estar no caminho por onde eles passam...

Jesus conhecia as criaturas humanas, suas grandezas e prejuízos, amando-as conforme eram e como se apresentavam.

Na Sua condição de Pastor, jamais elegia as ovelhas, deixando que essas O escolhessem.

Ao espanto dos discípulos, que O surpreenderam em quase êxtase solitário, ao retornarem da cidade, onde foram para a compra de alimentos e atendimento de necessidades outras, sucedeu-se a alegria das pessoas que tomaram conhecimento da ocorrência à borda do poço.

Profundamente tocada pela magia do Nazareno belo, a mulher samaritana não se cansava de elogiá-lO, embora Ele a houvesse desnudado.

Ela agora sabia que o pecado é desgraça, é morte, e que somente a virtude é bênção de vida.

Entregara-se às extravagâncias do prazer, passando de mão em mão quase sem dar-se conta, porque nunca amara, jamais vira realmente a luz e, nas sombras, todos os movimentos são sempre silhuetas confusas.

Agora não. Acabara de vislumbrar a claridade; alcançara outra dimensão...

Dialogando com aquela mulher estranha, quase detestada, por pertencer à raça da Samaria, Jesus arrebentou as algemas do separatismo, dos preconceitos, atravessando as fronteiras colocadas pelas paixões humanas.

Universalizou o Seu amor, a Sua Mensagem.

Que Lhe importava se a adoração ao Pai dava-se no Monte Garizim, na Samaria, ou no Templo de Salomão, em Jerusalém?!

O importante em si mesmo é que todos adoravam a Deus, ou pareciam fazê-lo por fora, quando o correto seria no coração, nos atos de amor para com o próximo.

Os amigos, percebendo-Lhe a introspecção, sempre preocupados com o secundário em detrimento do essencial, insistiram para que Ele comesse.

Olvidados do pão do espírito, aferravam-se ao de trigo como solução única para todos os problemas.

Por isso, Ele lhes respondeu:

– *Tenho um alimento para comer, que vós não conheceis...*

Chilreavam as aves na copa das árvores, enquanto o vento morno agitava-lhes os ramos.

O trigal exuberante ondeava sob as vagas que lhe perpassavam em lufadas quentes, contínuas.

Atônitos, os companheiros murmuraram entre si:

– *Acaso Lhe trouxe alguém o que comer?*

Viviam com Ele e não O conheciam.

Falavam e ouviam, mas não O entendiam.

Ele pensava no *Reino dos Céus*, enquanto eles se imantavam ao reino da Terra.

Jesus, então, elucidou-os:

– *O meu alimento é fazer a vontade d'Aquele que me enviou a realizar a Sua obra.*

E prosseguiu:

– *Não dizeis vós que dentro de quatro meses chegará o tempo da ceifa? Pois bem. Eu vos digo: erguei os olhos e vede. Os campos estão brancos para a ceifa...*

Ele ainda não se houvera desvelado, nem a João Batista, a ninguém, exceto à samaritana...

A sinfonia espraiava os seus primeiros acordes.

Nunca mais cessaria a sua musicalidade ímpar.

A pauta da Natureza em festa forneceria por todo o sempre novos sons, novas melodias.

– *O ceifeiro já recebe o salário* – prosseguiu em doce tom – *e recolhe o fruto para a vida eterna, de modo que o semeador se alegra juntamente com o ceifador. Pois nisso se verifica o ditado: Um é o que semeia e outro o que colhe. Enviei-vos a ceifar, o que vós não trabalhastes: outros trabalharam e vós aproveitai-vos do seu trabalho.*

Os amigos, em silêncio, ouviam-nO com o coração, incapazes, no momento, de digerirem as palavras com a razão.

É necessário, na colheita, agradecer às mãos que antes semearam.

Quem agora chega, que abençoe o trabalho daquele que antes aqui esteve e preparou-lhe o caminho.

Todos os indivíduos no mundo têm um papel a desempenhar, sempre importante. Enquanto a escala de valores classifica-os qualitativamente, o amor iguala-os em significado. Tanto é nobre aquele que desmata a gleba, quanto o que a enriquece de sementes, ou aqueloutro que lhe recolhe os grãos.

Não é fundamental saber quem veio antes e menos é identificar aquele que virá depois.

Sucedem-se as gerações e, à semelhança das águas que passam sob uma ponte, é provável que retornem como chuva enriquecedora; porém não importa sabê-lo por enquanto.

A samaritana colheu dos lábios de Jesus o que não houvera plantado, libertando-se das licenças morais perturbadoras, readquirindo a identidade perdida.

Por sua vez, os discípulos ceifavam a gleba plantada pelos profetas que os anteciparam, por aqueles que se sacrificaram antes que eles chegassem...

Assim é a vida e são assim os acontecimentos, tudo se encadeando em harmonia.

No trigal verdejante a derramar-se pelas encostas e planícies, sorriam coloridas as papoulas amarelas, vermelhas, as tulipas silvestres, enquanto os líquenes ressecavam-se ao Sol dardejante.

A moldura da tela, na qual Jesus desenharia o poema de amor, estava pronta, e o Artista começava a executar a Sua obra...

Sensibilizados, os samaritanos vieram pedir-Lhe para que ficasse um pouco com eles, após ouvirem a mulher testemunhar a Seu favor.

Compadecido, o Mestre aquiesceu, ali ficando por dois dias, que passaram céleres.

A alegria, o bem-estar, passam rápidos, em outra dimensão do tempo.

À sombra do arvoredo, falou-lhes do *Reino de Deus* e os enriqueceu de esperanças, confortando-os e amparando os combalidos, que receberam cargas novas de energia vitalizadora.

Sob o céu recamado de estrelas lucilantes, explicou-lhes o significado da vida terrestre, esclarecendo-os quanto às necessidades da evolução e da transitoriedade do corpo carnal.

Sua voz aquietou-os, e mesmo as criancinhas buscaram-Lhe o regaço, n'Ele se refugiando. Ele, porém, não ficou apenas nas palavras. Era necessário agir, *para que todos vissem e cressem no Seu poder*. E assim o fez.

Ao terceiro dia, quando se dispôs a prosseguir na marcha, estava cercado de carinho e amor.

Enfermos que se recuperaram; loucos recém-saídos da furna da perturbação; leprosos que ficaram limpos; e endemoninhados que recobraram a sanidade mental, agradeceram-Lhe o obséquio da estada entre eles, asseverando que jamais O esqueceriam.

As ansiedades iniciais estavam substituídas pela paz interior.

Como a memória do mundo físico é de limitado prazo, certamente O olvidariam...

Mas, à mulher abençoada pela Sua revelação, a uma só voz os patrícios afirmaram:

– Já não é por causa das tuas palavras que acreditamos; nós próprios ouvimos e sabemos que Ele é realmente o Salvador do mundo.

Os campos gargalhavam tons verdes e rubros à luz do Sol nascente.

Amanhecia, e as nuvens escuras adornavam-se de ouro...

A estrada escarpada e áspera serpenteava e perdia-se nas dobras dos montes altaneiros.

Ele e os amigos teriam que seguir adiante, a Jerusalém...

13

CONTRADIÇÕES DA VERDADE[11]

O lago, naquele momento, era a pauta musical virgem, na qual Ele escreveria a música sublime da perene sinfonia do amor.

As notas melódicas eram Suas palavras de sabedoria, assinaladas pelo compasso da verdade.

Bailavam no ar as ansiedades gerais.

A brisa amena soprava, dobrando o dorso do trigal maduro em espigas de ouro, a esparramar-se pelo vale verde e pelos outeiros próximos.

A multidão encontrava-se expectante, alerta, em movimentação contínua.

As notícias a respeito dos Seus feitos precediam-nO. Quando Ele chegava a algum lugar, já defrontava as dores e chagas humanas expostas, aguardando a Sua providência misericordiosa.

---

11 Mateus, 12: 22 a 42 (nota da autora espiritual).

Igualmente misturados na mole humana, encontravam-se os inimigos do progresso, aqueles que se comprazem em confundir, em perturbar, malsinando os sentimentos de quem é bom e nobre.

Caracterizam-se pela adaptabilidade que têm às circunstâncias, facilmente gerando cizânias e falatórios, adversidades e crimes.

Ninguém que agasalhe ideais superiores consegue eximir-se à fúria desses famanazes, que vivem a soldo da própria morbidez.

Incapazes de triunfar através dos valores éticos e das realizações edificantes, transformam-se em verdugos gratuitos, alimentados pelos vis objetivos de lucros imediatos que recebem de outros infelizes que os governam, que os comandam.

Jesus os enfrentaria com frequência: saduceus, samaritanos, herodianos, fariseus, todos aqueles que se atribuem valores e direitos que não possuem, aos outros os negando, gerando conflitos e fomentando ódios.

Naquele cenário especial, bordado de sol, o Mestre, contemplando a massa, sentiu piedade dos homens e das suas misérias, como Lhe era habitual.

Nesse momento, trouxeram-Lhe um homem a quem um espírito impunha cegueira, surdez e mudez.

A obsessão é *enfermidade* cruel, na qual os litigantes, em pugilato contínuo, flagelam-se e estertoram sem cessar.

Filha dileta do ódio, alimenta-se do ressentimento, negando-se o afeto reconciliador, responsável pelo perdão.

A libertação das suas malhas intrincadas torna-se difícil, exceto quando os responsáveis resolvem-se pela mudança de comportamento para a fraternidade.

Jesus, por ser o *Senhor dos Espíritos*, tinha o poder de deslindar deles os que tombaram nas suas amarras, *receitando-lhes* vida nova.

Encarcerado na explanação dolorosa, vagava nas sombras; impedido de registrar os sons e emiti-los, era alguém emparedado nos limites da própria desdita.

No íntimo, ele anelava pela libertação, pela bênção da recuperação.

Já não se recordava da fulgurante claridade do dia, nem mais percebia na acústica mental o poema das músicas que cantam com a Natureza, que estrugem em todas as gargantas.

Gostaria de falar, de expressar-se, de louvar a vida. No entanto, o tormento irreversível. Desanimado, entregara-se à situação, aceitando-a sem mais excogitar sobre suas causas ou suas terapias.

Empurrado na direção do Mestre, ele tropeçou e sentiu o estranho toque daquela mão especial.

Uma corrente de energia poderosa percorreu-lhe o corpo. Ele fremiu, e automaticamente abriu os olhos...

Defrontou as duas fulgurantes estrelas na face do estranho, sendo tomado de incontida emoção, que o levou a exclamar: – *Rabi!*

Concomitantemente, ouviu a própria voz, clara e musical.

Estava liberto. Haviam-se-lhe aberto as algemas: romperam-se as tenazes fortes.

Ele estava curado e gritou, feliz, saindo a correr...

Aquela emoção incomum produziu grande impacto na multidão, quando alguém exclamou:

– *Não será esse o Filho de Davi?*

A inveja, que começara a urdir a sua trama, espocou violenta nos seus cultivadores.

Disfarçados na massa, os fomentadores da intriga e da desdita puseram-se em campo a lançar dúvidas a respeito do que havia acontecido.

– *É um charlatão!* – conclamou áspero, amargo ancião.

– *Muito hábil, por sinal!* – arrematou uma jovem aturdida.

– *Ele cura, sim* – estabeleceu um fariseu odiento –, *porém o faz pela força de Belzebu, príncipe das trevas e dos demônios.*

As opiniões multiplicaram-se, soezes, cavilosas.

Uma onda de agitação percorreu o público, e as murmurações alteraram suas vozes.

O Mestre ergueu os braços e impôs silêncio com a Sua autoridade.

Ante a turbação que acometeu aquele corpo inquieto, que é a multidão, o Senhor explicou:

– *Se Belzebu expulsa Belzebu, está dividido contra si mesmo. Todo reino dividido contra si mesmo ficará devastado; e toda cidade ou casa dividida contra si mesma não poderá subsistir... E se eu expulso os demônios por Belzebu, por quem os expulsam vossos filhos? Eles serão vossos juízes. Mas se é pelo Espírito de Deus que eu expulso os demônios, quer dizer, então, que chegou até vós o Reino de Deus...*

A lógica dos argumentos encontrou ressonância nos ouvintes – aceitação de conteúdos –, desarmando a truculência e a perversidade.

Os adversários do bem, no entanto, não cessaram a maquiavélica ação e gritaram:

– *Dá-nos, então, um sinal!*

Sempre se pedirão sinais, que jamais serão aceitos.

Haverá, invariavelmente, nova exigência, apoiada em teses absurdas, elaboradas somente para negar.

A negativa ainda é uma atitude cômoda, a mais fácil, porque descomprometida com a responsabilidade e o sacrifício...

Jesus olhou em derredor e compreendeu a ardilosa solicitação, que não serviria, por mais impressionante, para silenciá-los.

Adotando a postura de Educador, que o é, ripostou:

– *Esta geração má e adúltera reclama um sinal! Que sinal lhe posso dar?*

O sinal pedido é a contradição da verdade, atitude de desrespeito, de indignidade.

Ante o receio e a dúvida estampados nas faces congestionadas, Ele prosseguiu:

– *O sinal é o de Jonas, não há outro, mas aqui está alguém que é maior do que Jonas.*

Ninguém se adentra na casa de um homem forte para apoderar-se dos seus haveres, sem primeiro o manietar, ou sem que ele anua de próprio alvitre. Só então poderá saquear--lhe a casa.

Assim, quem não é comigo, é contra mim, porque aquele que não ajunta comigo, desperdiça.

Estava lançada a base musical da Sinfonia do amor em tema de fidelidade.

Ninguém poderia estar ao Seu lado, preservando dúvidas; caminhar com Ele, permitindo-se delíquios.

Não haveria lugar para aceitação dos Seus postulados e negação dos Seus feitos.

A contradição da verdade macera os homens de bem, os idealistas, os heróis que estão acima dos biótipos comuns.

Sofismar diante de verdades diamantinas, erguer barreiras ao rio da razão, gerar conflitos no espelho transparente da lealdade, da honestidade, constituem degradação de si mesmo, agressão à Vida.

Torcedores de palavras, que as ajustam aos seus interesses mesquinhos, refugiam-se em palácios como em casebres, em cenáculos e em templos, em assembleias nobres, assim como em núcleos de malfeitores... Eles têm como tarefa intelectual adulterar, inverter, confundir as mais lúcidas expressões, transformando-as em acusações contra aqueles mesmos que as enunciaram.

Foi por essa razão que Jesus, após contemplar esses desditosos sequazes do mal, obtemperou:

– Eu sei o que murmuram entre vós...

Ele conhecia as tergiversações e debilidades humanas, os limites que a si impunham as consciências torpes.

Não lhe passavam despercebidos os instigadores profissionais, que se imiscuíam, se misturavam ao povo, espicaçando-o na sua fragilidade moral, na sua ignorância, no seu fragmentário volume.

Por isso, enérgico, elucidou:

– Todo pecado e blasfêmia serão perdoados aos homens, mas a blasfêmia contra o Espírito não lhes será perdoada.

Se alguém disser alguma palavra contra o Filho do Homem, será perdoado; mas se falar contra o Espírito Santo, não lhe será perdoado, nem neste mundo, nem no futuro.

Jesus estava acima das blasfêmias humanas e, por amor, volvia a buscar os que O acusavam, amparando-os, erguendo-os, perdoando-os.

No entanto, a consciência culpada pela agressão ao *Espírito de Verdade*, às *Forças dos Céus* gerava conflitos insanos para si mesmo, que só a reencarnação pode lenir, perdoar...

Não apenas aqueles que combatem o Espírito Santo, mas também aqueloutros que mentem, exploram, enganam e vivem a expensas do Seu nome...

A sinfonia cresceu, e Ele aduziu:

– *Ou admitis que a árvore é boa e o seu fruto bom, ou admitis que a árvore é má e o seu fruto mau. Porque pelo fruto se conhece a árvore.*

Fez uma pausa para reflexão, amadurecimento e logo deu curso:

– *Raça de víboras! Como podeis falar de coisas boas, se sois maus? Porque a boca fala da abundância do coração. O homem bom, do seu coração tira coisas boas e o homem mau, do seu coração tira coisas más. Ora, eu vos digo: de toda palavra ociosa que os homens disserem, prestarão contas no dia do juízo. Porque pelas palavras sereis justificados e pelas palavras sereis condenados.*

Era uma patética.

Cada um é autor de sua felicidade e desdita, libertação e escravatura...

Cada um é livre para pensar, falar e agir, porém, é escravo do que haja pensado, falado e feito.

O Filho, todo amor, compreende a deficiência dos Seus discípulos e lhes propicia novas oportunidades. Ele não viera para ser entendido, nem para ser amado. Mas, para entender e amar.

Dando-se conta da agressão à Verdade, despertando em nível superior de consciência, o acusador insensato necessita reabilitar-se, em face dos danos que se impôs, assim como àqueles que perderam o rumo graças à sua maléfica indução.

O lago imenso e a multidão formavam a primeira página da Sinfonia que Ele viera imprimir nas almas.

Apesar das contradições da verdade e dos seus sequazes, emergia a Era Nova, anunciando o triunfo do amor sobre todos os impedimentos transitórios.

Todos morreram, e a Sinfonia prosseguiu musicando a Terra.

Havia mais para dizer, que seria dito.

Ele fez uma pausa, assinalada por infinita doçura, e cerrou os lábios. Porém, seria por poucos momentos.

14

INIMIGOS MORAIS

O dia havia sido especialmente tórrido. Embora o velário da noite descesse sobre a região, o vento arrastava nos seus braços o ar ainda morno que acariciava a Natureza.

As atividades foram exaustivas durante as horas passadas.

O sermão do mestre atraiu a multidão, como sempre ocorria.

Peregrinos de diferentes cidades chegaram esmagados sob o fardo das suas necessidades e aflições. Eram enfermos do corpo, da emoção e da alma. Acercaram-se do Rabi, a fim de escutá-lO e terem lenidas as suas exulcerações.

Sua Mensagem carregada de ternura e de esperança convidava essencialmente os ouvintes à transformação moral.

– *Todas as aflições* – Ele assinalara – *procedem da alma, que, enferma, exterioriza as debilidades, contribuindo para a degradação orgânica.*

Os indivíduos, no entanto, desejavam apenas aliviar--se da carga, atirar fora o pesado ônus de sofrimentos que os pungia.

Depois de ouvirem as palavras saturadas de sabedoria, suplicaram-lhe o socorro compatível para cada mal.

...E semelhante a uma aragem abençoada e fresca sobre a terra ardente, Ele recuperou desenganados, levantou combalidos e caídos, impulsionando-os ao prosseguimento das lutas.

Quais camadas sucessivas de areias que o vento açoita, as multidões se renovaram, umas após outras, sem se importarem com o cansaço, o desgaste do Mestre afável.

Na sua cegueira e desconcerto moral, as criaturas nunca veem as dores dos outros, suas dificuldades e problemas, diante dos próprios desafios.

A ânsia de solucioná-los torna-as indiferentes aos testemunhos silenciosos e afligentes que vergastam aqueles a quem recorrem, sem a menor consideração.

Compassivo, no entanto, Ele atendera a todos, até o momento em que Simão O resgatou da massa informe e insaciável.

Quando a noite desceu e os grupos dispersaram-se, surgiu o momento do repasto, o instante do repouso, dos colóquios instrutivos, porque Ele nunca cessava de instruir, nem de educar.

Àquela hora, a lua refletia os seus raios argênteos sobre as águas quedas do mar.

Soprava, então, uma brisa agradável e amena.

Sentado com amigos sob a copa de generosa árvore que distendia galhos quase sobre as águas, desenhara-se a circunstância para o colóquio.

As lâmpadas tremeluzentes do casario que bordava a margem do mar apagavam-se, uma depois de outra, e somente as vozes da Natureza cantavam a melodia mágica da beleza.

Foi Simão quem deu início ao diálogo.

Houvera encontrado, naquela tarde, antigo inimigo, a quem não conseguia perdoar. Sentira-se prejudicado por suas calúnias, propusera-se a revidar, conforme a *Lei Antiga*. Guardava o ressentimento, que agora ressumava ao inesperado encontro.

Aproveitando-se da ocasião feliz, honestamente interessado em esclarecer-se, interrogou, solícito:

– *Senhor! Como vencer aqueles que nos prejudicaram e ainda nos perturbam? Como suportar os adversários, que se multiplicam como erva má, que de nada necessita para medrar?*

– *Simão* – respondeu o Amigo –, *os verdadeiros adversários do homem não se encontram fora dele, porém em seu mundo íntimo, perseguindo e inquietando-o sem termo.*

Aqueles que estão fora das províncias dos seus sentimentos podem ser deixados à margem, porque o mal deles somente atinge aquele que se lhes sintoniza com os petardos mentais e lhes aceita as ofensas.

Se não for valorizada a maldade que existe nos outros, ela perde o sentido de direcionamento, porquanto somente os maus se engalfinham nas pelejas inúteis e perversas, nas quais nunca há vencedor.

– *E quais são, então, esses inimigos íntimos, os que estão dentro de nós?*

Jesus olhou ternamente o discípulo inquieto, e redarguiu:

– Há três inimigos ferozes no imo do ser humano que respondem por todas as misérias que assolam a sociedade, dilacerando os tecidos sutis da alma. Trata-se do egoísmo, do orgulho e da ignorância.

O egoísmo é algoz impiedoso, que junge a sua vítima ao eito da escravidão, tornando-a infeliz.

Graças a ele predominam os preconceitos sociais, as dificuldades econômicas, os problemas do relacionamento humano... Qual uma moléstia devoradora, instala-se nos sentimentos e os estrangula com a força da própria loucura.

O egoísmo é responsável por males incontáveis, que devastam a Humanidade. O egoísta somente pensa em si, a nada nem a ninguém respeita na sanha de amealhar exclusivamente em benefício próprio, a tudo quanto ambiciona. Faz-se avaro e perverso, porque transita insensível às necessidades alheias.

Por sua vez, o orgulho é tóxico que cega e destrói os valores morais do indivíduo, levando-o a desconsiderar as demais criaturas que o cercam. Acreditando-se excepcional e portador de valores que pensa possuir, subestima tudo para sobressair onde se encontra, exibindo a fragilidade moral e as distonias nervosas de que se torna vítima indefesa.

A ignorância igualmente escraviza e torna o ser déspota, indiferente a tudo quanto não lhe diz respeito diretamente, esquecido de que todas as pessoas são membros importantes e interdependentes do organismo social.

O egoísmo é o genitor abjeto dos males que espalha, como a ambição desregrada, o ressentimento, a irritação, a ira, o ódio, os sentimentos vis que denigrem a vida.

O orgulho desestrutura aquele que se deixa ensoberbecer sob a ação dos seus vapores venenosos, levando à loucura da presunção e da prepotência. Na raiz de inúmeros desequilíbrios morais estão as manifestações do orgulho.

E a ignorância, serva da estupidez, é o ressumar da morte do conhecimento, dos sentimentos de beleza, da afetividade e da ternura, que enregela o coração e atormenta a conduta.

Calou-se momentaneamente, dando lugar a novas interrogações.

Pedro, estimulado pela resposta, voltou à carga, indagando:

– E como extirpá-los da alma? Haverá, por acaso, antídotos para esses inimigos soezes?

Jesus relanceou o olhar pela noite serena, dilatando-o nos amigos silenciosos e atentos, logo respondendo:

– Ao egoísmo se deve sobrepor a solidariedade, que abre os braços à gentileza e ao altruísmo.

O coração generoso é rico de dádivas. Quanto mais as reparte, mais possui, porque se multiplicam com celeridade.

A solidariedade anula a solidão e amplia o círculo de auxílios mútuos, dignificando o ser que se eleva emocionalmente, engrandecendo a vida e a Humanidade.

O orgulho cede ante a humildade, que dimensiona a pessoa com a medida exata, descobrindo-lhe o significado, a sua realidade. O indivíduo não é o que se supõe vãmente, nem o que dele se diz. Mas é, sim, o valor dos seus próprios atributos, aqueles que podem ampliar em benefício próprio e do grupo social no qual se movimenta.

A humildade é virtude que faculta a compreensão das ocorrências perturbadoras, projetando luz nos intrincados problemas do comportamento humano.

Sem humildade o homem se rebela, porque não reconhece a fraqueza que lhe é peculiar, nem se dá conta, conscientemente, de que logo mais será desatrelado do carro orgânico, nivelando-se a todos os demais no vaso sepulcral...

À ignorância facultem-se o conhecimento e o dileto filho do sentimento maior, que é hálito do Pai vivificando tudo e todos, origem e finalidade do Universo: o amor!

Quando o amor se envenena com os tóxicos das paixões dissolventes, o ser humano se desorganiza e se degrada nos conflitos destrutivos.

Resseca-se-lhe, então, a emotividade e se lhe anula a faculdade de justificar, compreender e amar o seu próximo, porque está nas sombras da ignorância, geradora da indiferença mórbida, que torna o homem participante inútil do festival da vida.

Cabe a todos vigiar as nascentes do coração, de modo que os seus inimigos íntimos cedam lugar aos sentimentos nobres, travando essa batalha sem quartel no campo da consciência. Não será uma luta rápida, porém contínua, lenta, que se deve repetir sempre que seja registrada a presença da erva moral daninha.

Por isso, ninguém que realmente vence a outrem se torna triunfador, ou que, desforçando-se de alguém, fruirá de paz.

A vitória real é sempre sobre si mesmo, nas províncias da alma.

O perdão às ofensas, o respeito ao direito alheio, a beneficência e a bondade, são os filhos diletos do amor-conhecimento que voa em luz com asas de caridade, tornando o mundo melhor e todos os seres felizes.

Silenciou.

Ouviram-se os harpejos suaves da melodia da noite em festa de estrelas e de luar.

Ele se levantou e pôs-se a caminhar, enquanto os amigos mergulharam em profunda meditação.

15

A PISCINA DE BETESDA[12]

A tradição hebraica é rica em símbolos e mensagens. Único povo monoteísta da Antiguidade Oriental, os hebreus alimentavam-se de esperanças e revelações espirituais.

Periodicamente escravizado por nações mais prepotentes e conquistadores mais audaciosos quanto perversos, sempre sofreu a canga do desprestígio e sorveu o vinagre da amargura.

Seus profetas e médiuns constituíram-lhe pórticos de futuras alegrias e expectativas em torno de um Messias que deveria libertá-lo do eito da submissão, da condição de hilota.

Assinalado pelo orgulho de raça e de nacionalidade – resultado da fusão das doze tribos –, a sua fé era o alicerce sobre o qual deveria erguer um império indestrutível, superior a todos os conhecidos, onde o poder e a glória

12. João, 5: 1 a 17 (nota da autora espiritual).

seriam as conquistas máximas alcançadas após as lutas milenárias, encarniçadas e dolorosas.

Por isso mesmo, as suas datas comemorativas eram celebradas em festas prolongadas, nas quais se uniam o prazer e a religião, disfarçando a hipocrisia e dando campo aos conflitos retidos, como mecanismos de vitalização para aguardar o momento máximo...

Mesmo sob as dores mais excruciantes, suportara as provações, anelando pelo momento da chegada do *Vingador* que Deus lhe mandaria como retribuição à sua fidelidade.

Tratava-se de uma visão distorcida sobre a Divindade, de um conluio macabro entre Deus e o homem, que lhe compensaria a crença e o sofrimento, impondo desgraça e hediondez ao seu adversário, como se esse não tivesse qualquer vinculação com Ele.

Infelizmente, ainda vige em muitos religiosos esse desejo mesquinho de lograr o triunfo sob o amparo superior com a destruição daqueles que se lhes opõem e não com a transformação deles para melhor, para a fraternidade.

São as paixões humanas projetadas em Deus, e não o Seu amor refletindo-se nos indivíduos.

Herança infeliz, esse atavismo psicológico diminui a Realidade Criadora, amesquinhando-a.

Junto à *Porta das Ovelhas*, em Jerusalém, havia uma *piscina com cinco pórticos* chamada Betesda (*Bezatha* em hebraico), que desfrutava do privilégio de ter suas águas periodicamente movimentadas pelos anjos, o que lhes dava poder curador, propriedades especiais. Todo aquele que nelas se banhasse em primeiro lugar usufruiria dos benefícios recuperadores da saúde. Como consequência, aquele era um lugar sagrado, e ao mesmo tempo profano. A fauna humana ali se reunia ambiciosa sob variadas justificativas. Era constituída de enfermos desenganados, de pedintes ociosos, de vadios e exploradores, de vendedores ambulantes, de observadores insensatos...

A malta sempre aglutina os seus membros onde florescem as oportunidades de ócio, de zombaria, de lucros e contendas intermináveis.

Em Betesda não sucedia diferente. Disputava-se espaço e multiplicavam-se os infelizes em busca do milagre da facilidade.

As criaturas sempre desejam soluções sem esforço pessoal para os seus problemas, lucros sem sacrifícios e resultados bons distantes do merecimento que não possuem.

Alguns pacientes daquele lugar se habituaram de tal forma à condição de inúteis que, entre os muitos que se acotovelavam em torno da piscina, um deles havia trinta e oito anos que era paralítico. Seu catre era trazido e reconduzido, havia muitos anos, e ele praticamente já não se importava com os resultados da movimentação, tal o desencanto de que se encontrava possuído.

Aqueles eram dias de festas, portanto, maior a soma de curiosos e de doentes que subiam a Jerusalém, passavam ou estacionavam nas áreas da célebre piscina, tumultuada pelo alarido das muitas vozes em dialetos estridentes e diversificados, dos gemidos dos enfermos, da cantilena dos mercadores e, de quando em quando, da confusão decorrente de furtos, de agressões e roubos...

Jesus, que se dirigia à *cidade dos profetas* acompanhado pelos amigos, deteve-se em Betesda e, diante da imensa e desditosa mole humana, tomou-se de compaixão.

Ele conhecia os escaninhos mais íntimos das criaturas, suas limitações e anelos, suas ambições e desconcertos... Igualmente estava informado das tradições e crenças, superstições e mitos ancestrais.

Deteve-se por um pouco, e observou o paralítico resignado no seu catre de miséria e quase abandono.

Indiferente ao que se passava – tantos foram os anos que tinha sido trazido inutilmente –, o infeliz parecia distante, quase alienado, fora do bulhento mundo em que se encontrava.

Realmente, já não acreditava na cura, mas voltava sempre; distraía-se na turbamulta, conversava, dormia, tornava menos solitária a própria desdita, vivia das esmolas que lhe atiravam às mãos...

Desistira de ficar à borda da piscina, ou nunca ficara, para arrojar-se nas águas, quando, ou se ocorresse o fenômeno da movimentação pelas mãos invisíveis.

A distância era uma justificativa inconsciente para não ser o primeiro a beneficiar-se, pois que, até ser levado de onde estava e banhar-se, outros, os mais novos, os mais ambiciosos, antecipavam-no e conseguiam melhores resultados.

Aquele era um lugar de fé, e ele já não a tinha, desencantara-se, deixara de acreditar. Também não mais lhe parecia importante, pois que poucos foram aqueles que se recuperaram durante o largo período em que ele permanecera no local.

O tempo é portador do condão de tudo modificar, especialmente nas pessoas desestruturadas, sem bases experienciais positivas na vida.

Àquela hora, havia uma suave fragrância de balsamina no ar.

O dia inundava-se de tênue luz, sem a incidência direta dos raios abrasadores do Sol.

Algo de especial pairava na psicosfera antes densa em Betesda.

Subitamente, um silêncio natural se impôs ao alarido, e uma grande expectativa tomou os corações.

Jesus acercou-se daquele paralítico, que expungira, nas quase quatro décadas de sofrimentos e limitações, todas as suas dores e débitos pregressos, e o interrogou:

– *Queres ficar são?*

– *Senhor* – respondeu-Lhe o enfermo –, *não tenho ninguém que me lance na piscina, quando a água começa a agitar-se; e, enquanto eu vou, desce outro antes de mim.*

Era, certamente, uma escusa. Se, em verdade, o desejasse, ficaria muito próximo, de forma que ele próprio se arrojaria sobre as águas.

O Homem-Luz penetrou-lhe o íntimo, leu-lhe a sentença a que se jungia e constatou a chegada do seu momento de libertação. Então, propôs-lhe:

– *Levanta-te, toma o teu catre e anda!*

A ordem era transmitida sob forte indução de energias recuperadoras. Não havia como duvidar.

O paciente, colhido de surpresa, deixou-se dominar pelas forças que d'Ele se exteriorizavam. Automaticamente se ergueu, sentindo-se desenfaixar dos impedimentos que o impossibilitavam de mover-se. Tomou o catre infecto e começou a andar recuperado.

As exclamações da alegria explodiram-lhe do peito, nos lábios, e a emoção tomou conta da multidão.

Quando os curiosos correram para ver o ex-paralítico, o Senhor afastou-se sem ser percebido.

Passados os primeiros momentos de exaltação, de entusiasmo, os concorrentes e despeitados recordaram-se de que aquele dia era um sábado, então disseram ao recuperado:

– *Não te é permitido levar o catre, pois hoje é sábado.*

Ele, porém redarguiu:

– *Aquele que me curou disse-me: "Toma o teu catre e anda". É o que eu faço, nada mais do que me foi imposto. Como posso andar, tenho direito de atender a ordem expressa até o fim.*

Desconcertados, volveram à carga:

– *E quem é ele?... O que te disse: – Toma o teu catre e anda!*

Ele não sabia, ninguém sabia. Tudo fora muito rápido.

Nunca faltam os indivíduos mesquinhos diante dos gigantes da alma. Incapazes de crescer até alcançá-los, buscam as formas de menosprezá-los, de empanar-lhes o brilho, a grandeza.

Dispõem de exuberante arsenal de acusações, de argumentos sórdidos e sem sentido, investindo contra, furiosamente.

Enxameiam em toda parte. Jesus nunca deixou de ser-lhes vítima, assim como todos aqueles que vivenciam os grandes e nobres ideais da Humanidade.

Mais tarde, naquele mesmo dia, o antigo enfermo espairecia no Templo, em gratidão, em exibição, quando o Mestre dele se acercou e disse-lhe:

– *Foste curado; não voltes a pecar, para que não te suceda alguma coisa pior.*

A terapia do amor libertara-o, sim, da escravidão ressarcidora dos débitos, porém, fazia-se-lhe necessária a dieta moral, a mudança de comportamento para a ação social dignificadora.

O homem, sem entender a exortação ao equilíbrio íntimo, aturdido, correu aos judeus e disse-lhes *ter sido Jesus Quem o curara...*

Despeitados, invejosos, os inimigos acercaram-se d'Ele e repreenderam o Seu ato, ao que Ele respondeu:

– *Meu Pai trabalha continuamente, e eu também trabalho.*

Na impossibilidade de alcançarem-nO, de intimidarem-nO, aqueles réprobos refugiaram-se na sordidez, formando partido para perseguirem-nO e matá-lO.

Não podendo fazer o que Ele fazia, os expedientes compatíveis eram a trama soez e a urdidura do crime a que se arrojariam, infelizes.

Ainda hoje é assim...

16

MAIOR DE TODOS[13]

Ainda não terminara o discurso rico de admoestações, porque deveria propiciar aos ouvintes a oportunidade única de registrá-lo na mente e no coração para sempre.

Respeitosamente, os olhares ansiosos estavam n'Ele cravados, enquanto as emoções estrugiam, desordenadas, expressando a gravidade do momento.

Os perturbadores da ordem, com a habilidade que tipifica os pusilânimes, colocaram-se a regular distância, dissimulando os sentimentos hostis, anuindo na aparência, mas aguardando algum deslize, a fim de acusá-lO.

À medida que Sua voz se alteava com a energia necessária para verbalizar as ideias, os baderneiros dispersavam-se, ruminando o próprio fracasso.

Ali estavam corações afetuosos que vieram de longe: sofredores de todo matiz que anelavam por conforto; desiludidos que aguardavam novas esperanças, sintonizando

13. Mateus, 12: 41 a 45 (nota da autora espiritual).

com a Sua palavra, deixando-se embriagar pela luz que d'Ele se irradiava.

Todos sabiam dos acontecimentos que precederam aquele momento, que irritavam os fariseus e demais membros da sinagoga...

Certamente Ele era maior do que o sábado, porquanto os seus discípulos alimentaram-se de trigo, que colheram no dia proibido; *curara um homem de mão mirrada e um cego surdo-mudo*, que sofria a constrição de um Espírito.

Impertérrito, enfrentava a multidão sempre suscetível de agitação.

De alguma forma, a massa humana parecia-se com o lago-espelho; num momento era transparente, sereno; subitamente agitava-se sob os ventos e tornados, ameaçando...

Ele lograva acalmar os ânimos somente com a Sua presença, e a palavra, embora veemente, era qual ferro em brasa cauterizando feridas, mas também bálsamo retirando-lhes as dores.

A patética, no entanto, não fora concluída.

Antes de afastar-se, Ele afirmou:

– Os ninivitas levantar-se-ão no dia do juízo contra esta geração e condená-la-ão, porque fizeram penitência ao ouvir a pregação de Jonas. Ora, está aqui alguém que é maior do que Jonas...

Houve um frêmito que sacudiu o povo.

Tê-lO-iam ouvido corretamente?

Maior do que Jonas, o profeta?

Não houve tempo para divagações, porque Ele prosseguiu:

– A rainha de Sabá erguer-se-á no dia do juízo contra essa geração e condená-la-á, porque veio dos confins da Terra para ouvir a sabedoria de Salomão. Ora, aqui está alguém que é maior do que Salomão...

Novo espanto e admiração simultâneos.

Ele se agigantava na Sua afirmação corajosa e destituída de prosápia ou de qualquer outra veleidade humana.

Era, sim, o excelente Filho de Deus!

O silêncio reinante foi quebrado pelo suave marulhar das leves ondas que o vento morno do dia movimentava, lançando-as de encontro às praias.

Havia uma ansiedade incomum aguardando a revelação de novos ensinamentos.

Ele concluiu solene:

– Quando o Espírito imundo sai de um homem, vagueia por sítios áridos em busca de repouso e não o encontra. Diz, então: "Voltarei para a casa donde saí". E, à chegada, encontra-a livre, varrida e arrumada. Vai e toma sete outros Espíritos piores do que ele; e entrando, instalam-se nessa casa. E o estado final daquele homem torna-se pior do que o inicial. Assim será também com esta geração.

Aquela era a explicação, a chave para decifrar o enigma das doenças e das perturbações.

A *casa* é o *coração*, e se este é limpo de sentimentos maus, não oferece guarida às doenças, nem aos Espíritos doentes, perversos. No entanto, insatisfeito, o perseguidor recorre ao auxílio de outros parasitas, de outros cruéis companheiros, e sitiam o domicílio da alma, aguardando as brechas morais, a fim de tomá-la de assalto.

Ele, que era maior do que os Espíritos, enfrentava--os, expulsando os ociosos e os maus, porém, advertindo quanto à necessidade de não mais dar-lhes acesso mediante o erro, o acumpliciamento com o vício, a tirania, a vulgaridade, o egoísmo...

Terminara a magna lição, e os ouvintes deixaram--se penetrar pelos acordes finais de Sua musicalidade.

Já não podiam ser confundidas Suas palavras, nem alteradas.

O Homem-Luz era transparente e triunfador.

Referindo-se a Jonas, interditado por três dias, reportava-se igualmente ao futuro, quando também Ele ficaria no silêncio sepulcral para ressurgir em triunfo...

Os olhos que o viam nublaram-se de pranto, e as dores gerais, naquele momento, acalmaram-se.

No imo, sem palavras, muitos se interrogavam: – *Até quando O teriam?*

Na comunhão natural com o pensamento d'Ele, deixavam-se envolver pelas incessantes ondas de ternura que irradiava, e comoviam-se até às lágrimas.

Ao longe, a Natureza em festa estuava.

Ouviam-se as salmodias distantes.

As pessoas locomoviam-se, voltavam aos lares...

...O Espírito inferior toma sete outros e retorna, sendo em número de oito aqueles que passam a habitar a *casa imunda*, tornando-a mais devastada.

...Ele é maior do que Jonas, do que Salomão, Senhor deles todos!

A sinfonia alcançaria outros ouvidos, outros lugares, e fazia-se necessário seguir adiante.

Quando, quase a sós com os *doze*, deslumbrados, confusos ainda, ao sopro da brisa morna, deixou aquelas praias, seguindo além. Os sofrimentos humanos aguardavam-nO à frente e era necessário atender o chamado...

Maior de todos!

17

PÃO DA VIDA[14]

O Mar da Galileia é um lago de expressiva proporção, que a generosidade do rio Jordão espalhou na imensa fenda abaixo do nível do Mediterrâneo, com pouco mais de duzentos metros.

Antigamente era muito piscoso; nas suas margens floresciam aldeias e cidades que se tornaram famosas e se beneficiavam do seu clima agradável.

Em volta, as suas terras aráveis produziam legumes e frutas; ali pastavam os animais, e as vinhas eram exuberantes.

Ao tempo de Jesus, suas águas chegaram a receber milhares de pequenas embarcações.

Também chamado de Tiberíades, ou Lago de Genesaré, foi cenário de momentos culminantes da história do Cristianismo.

Em sua orla espraiavam-se as cidades de Cafarnaum, Betsaida, Tiberíades, Magdala, Dalmanuta...

---

14. João, 6: 22 a 40 (nota da autora espiritual).

Em uma montanha próxima, Ele entoou o Canto de libertação das criaturas, em inolvidável *sermão*; pelas suas praias Ele caminhou, curando, consolando, apontando rumos.

Suas gentes simples – os galileus –, normalmente pescadores e agricultores, conviveram com Ele, acompanharam-nO, foram por Ele amadas e O amaram a seu modo, dentro dos seus limites.

A revolução que Ele pretendia não era percebida pela massa, que tinha fome de justiça, de verdade, mas sempre mais de pães e de peixes...

Do outro lado, acima das escarpas rochosas, erguia-se a Decápole – parte das dez cidades gregas erigidas antes, e então decadentes, com exceção de Gadara, que se celebrizaria em razão do obsesso que Ele curara.

Jesus amava aquela região, aquele povo, onde mais se demorou após iniciar a Sua vida pública, quando *os Seus O rejeitaram...*

Incapazes de penetrar no conteúdo profundo da Sua Mensagem, seguiam o Mensageiro, dominados por interesses imediatistas.

Ambicionavam o Reino dos Céus, porém viviam na Terra, sofriam-lhe as injunções e carências, padeciam desconforto.

Ele representava-lhes o *Libertador*. Suas palavras sensibilizavam-nos, porém, as suas ações deslumbravam-nos e atraíam cada vez mais.

Já não eram alguns que O seguiam, e sim verdadeiras multidões, com suas chagas, agitações e problemas.

Com essa volumosa massa, Ele atravessou o mar e foi ensinar na outra margem, do alto de um monte.

Ali, percebendo a fome daqueles que O acompanhavam, nutriu-os com pães e peixes fartamente, deixando-os felizes, porque de estômagos satisfeitos.

Logo após, volveu em silêncio a Cafarnaum com os doze apóstolos.

Os acompanhantes, atendidos nas necessidades imediatas, não perceberam a Sua ausência, porque naqueles momentos não mais necessitavam d'Ele.

Só no dia seguinte perceberam que Ele se fora.

Outra vez, sentindo carência, volveram a Cafarnaum a buscá-lO, algo contrafeitos, por não O terem em mãos para o socorro contínuo aos seus caprichos.

Quando O encontraram, interrogaram-nO com uma quase exigência de justificação por tê-los deixado:

– *Rabi, quando chegaste aqui?*

Não se tratava de zelo, de cuidado pelo Amigo, mas de reprimenda, de cobrança indireta.

O Mestre fitou-os compungido, e respondeu-lhes com severidade:

– *...Procurais-me porque comestes dos pães e ficastes saciados...*

Fez uma pausa e prosseguiu:

– *Trabalhai, não pela comida que perece, mas pela que dura até a vida eterna, e que o Filho do Homem vos dará...*

De um para o outro dia haviam alterado o comportamento.

Viram os enfermos recuperarem-se ao influxo do Seu poder; alimentaram-se em excesso; beneficiaram-se da Sua presença. No entanto, à hora da decisão de se transformarem para melhor, de se permitirem permear pela Sua palavra, apelavam para os textos antigos convenientes, que permitiam fugir das novas responsabilidades, indagando sobre novos sinais, recordando Moisés no deserto, *o maná que descera do Céu...*

Não se davam conta de que tudo provinha de Deus, e que eles haviam comido, às vésperas, um alimento da mesma procedência, que lhes dava vida, porém que saciava só por breve prazo.

No mundo, as criaturas desejam refestelar-se na abundância de fora, no desperdício, e não se recordam, nessas horas, da escassez e dos outros esfaimados, esquecidos, em sofrimentos.

Desejam pão e prazer, conforto e ociosidade.

Cansam-se quando os têm e fogem para a insatisfação, a revolta, a perda de objetivos da vida.

Sucede que a duração do corpo é sempre muito breve, a dos seus adereços, menor, e a das suas imposições, mais rápida... Por isso a vida real, aquela que permanece sobre as cinzas das ilusões vencidas, é a do ser imortal.

Jesus veio demonstrar a imortalidade, dar significado à existência física do ser, não como fim, antes como meio para ser alcançada a plenificação.

Aferradas, todavia, aos sentidos grosseiros, as pessoas somente pensam no momento em que se encontram – embora lhe percebam a fugacidade –, longe das aspirações transcendentes, as de longo, perene curso.

Aquela época difere desta pela face exterior, pelas conquistas da inteligência, que trouxeram outros valores para serem cultivados, outras metas para serem alcançadas. No entanto, o ser moral, o ser interior, parece-se muito com aqueles que O acompanhavam... Mesmo esses que diziam n'Ele crer e O seguem.

– *Eu sou o pão da vida!* – exclamou Jesus. – *O que vem a mim jamais terá fome, e o que acredita em mim jamais terá sede...*

Os circunstantes, em face dessa declaração robusta, sem eufemismos, entreolharam-se, duvidaram, não sabendo o que fazer.

Enquanto se alimentavam e sorriam, a vida parecia-lhes tranquila, desde que houvesse quem os abarrotasse, a fim de que, sem preocupação nem esforço, pudessem banquetear-se sempre mais.

Tomar, porém, da charrua para conseguir a própria alimentação, mudava totalmente a paisagem do júbilo, que se tisnava ante as responsabilidades surgidas.

O esforço pessoal constitui sinal de valor moral, e o suor do sacrifício umedece a massa que prepara o pão da vida, que mata a fome em definitivo.

O ser, inundado pelo ideal, tem a sua sede de luz e de paz saciada através das conquistas valiosas das paisagens íntimas, antes sob tormentas desesperadoras.

O Mestre jamais negaceou, nunca Se escusou.

Todas as Suas asseverações foram claras, destituídas de disfarces ou ocultas em símbolos complexos.

Falando a linguagem de todos os tempos, a verdade, nunca se Lhe notou dubiedade, insegurança.

Não havia promessas vãs nos Seus discursos, nem alento para as atitudes frívolas. Inteiriço, sempre igual na proposta, na discussão e na conclusão, a Sua era uma linguagem lapidar, inimitável, jamais superada.

O texto do passado tem sabor de atualidade, hoje apresentado.

Compadeceu-se do caído, mas não se apiedou do erro.

Apoiou o doente, no entanto verberou pela libertação da doença.

Amparou o pecador, todavia exprobrou o pecado.

Ajudou o vencido, porém conclamou-o ao soerguimento íntimo e à vitória sobre si mesmo.

Não acusou, não condenou, nem anuiu com o crime, a devassidão, a promiscuidade moral.

Pão da vida, Ele é saúde integral, alimento de sabor eterno.

Os galileus não poderiam, naquela época, entendê-lO.

O mesmo ocorre com os modernos fariseus que hoje O depreciam, que O subestimam e que, presunçosos, escondem-se nas catilinárias de palavras rebuscadas, em sofismas bem urdidos, em *falsas ciências* para não se transformarem moralmente, enquanto, jactanciosos, marcham para o túmulo inexoravelmente, onde despertarão para a realidade...

Jesus é o pão da vida perene.

Aqueles que souberem alimentar-se d'Ele se nutrirão e viverão na paz de consciência e na realização espiritual.

18

O MINISTÉRIO

Ordenar os *ditos* e os *feitos* de Jesus, colocando-os em linha cronológica, como fossem narrados acontecimentos comuns, habituais, torna-se uma tarefa que ultrapassa a capacidade dos estudiosos da Boa-nova.

A autenticidade desses ensinamentos e realizações faz-se natural, exatamente por não obedecer a um *critério lógico*, apresentado por escritor meticuloso.

Aqueles que anotaram as informações e eventos eram portadores de culturas diferentes e utilizaram-se das próprias, como das reminiscências das personagens envolvidas, elaborando, assim, um todo constituído de partes fragmentárias.

A harmonia que ressuma dos textos comove, ora pela profundidade, ora pelas sutilezas que encerra, biografando um Homem Superior que se deu, a fim de que todos tivéssemos vida.

Sem dúvida, a Sua movimentação foi incessante.

Ele percorreu toda a Galileia, visitando Jerusalém várias vezes, onde morreu; transitou pela Judeia e foi além, à Fenícia, às cidades de Tiro e de Sídon. Venceu o Tiberíades e alcançou a Decápole, especialmente a cidade de Gadara; também foi à Bataneia, à Cesareia de Filipe e atravessou a Samaria, repetidamente...

Não há documentação histórica, nem apoio escriturístico para encontrá-lo na Índia, no Egito – na idade adulta – entre os essênios. Se a esses últimos visitou, foi para ensiná-los, desvelar-se-lhes...

Ele não conheceu repouso.

Raramente se demorava no mesmo lugar.

À semelhança de uma aragem perfumada, percorreu as distâncias sem cessar.

Não havia tempo a perder.

As multidões acolhiam-nO, seguiam-nO.

A Sua voz arrebatava, a Sua lógica perturbava os astutos, que O queriam pegar em equívoco, dúbios e venais.

...E das Suas mãos as energias renovavam, curando, libertando os enfermos e os infelizes.

Nunca a Terra experimentou presença igual. E não voltaria a tê-la, incorporada às demais criaturas.

Ele fazia-se semelhante a todos, e agigantava-se.

Buscava apagar-se, e refulgia.

Calava, e o silêncio comovia.

Falava, e alterava o comportamento dos ouvintes.

Ninguém que O encontrasse ficava-Lhe indiferente; jamais O esqueceria.

Picados pelo despeito da própria inferioridade, ou detestavam-nO, afastando-se, ou, abrasados pelo Seu amor, se Lhe entregavam.

Indiferença é morte da emoção, decadência da vida.

Com Jesus, não havia meio-termo: aceitação ou recusa, entrega ou distância.

Novamente Jesus visitou Caná da Galileia, onde deixara as evidências do Seu ministério, sensibilizando os convidados presentes no casamento.

Antes da Sua chegada, vieram as notícias do que realizara em Jerusalém, durante a festa...[15]

Ali residia um régulo que O buscara por diferentes lugares, ansioso por encontrá-lO, pois era pai, e o seu filho estava enfermo em Cafarnaum.

Tomado de júbilo e ansiedade, foi procurá-lO, solicitando socorro para o doente, para que Ele *descesse à sua casa* e curasse o jovem, *que estava a morrer.*

Penetrando-lhe a alma sofrida, Jesus disse-lhe:

– Se não virdes milagres e prodígios, não acreditareis!

O homem angustiado, porém, suplicou:

– Senhor, vem, antes que o meu filho morra.

As lágrimas escorriam-lhe dos olhos em borbotões, e a voz apagava-se nas constrições do sofrimento.

O Mestre penetrou-lhe os sentimentos angustiados.

Tomado de compaixão, o Mestre redarguiu-lhe com ternura:

– Vai, o teu filho vive.

Os olhos brilhavam como estrelas divinas na Sua face.

O homem, convencido da Sua força, retirou-se e voltou ao lar.

Cantavam na sua alma expectativas de alegria e de ansiedade.

15. João, 4: 43 a 54 (nota da autora espiritual).

Antes de chegar a casa, acercaram-se alguns servos, que lhe vieram *dizer que o filho estava vivo e passava bem.*

Recordando-se do diálogo com o Rabi, indagou-lhes a que hora sucedera a sua recuperação, e eles responderam:

– *Foi ontem, à hora sétima, que a febre o deixou.*

Aquela havia sido, exatamente, a hora em que Jesus afirmara-lhe que o seu filho estava vivo.

Esse admirável fenômeno de cura a distância *foi o segundo que Jesus realizou ao voltar da Judeia para a Galileia.*

Há volumosa necessidade de fenômenos no mundo. O homem sensorial quer ver, tocar para crer, quando, em realidade, é imperioso primeiro crer, para depois ver.

Os sentidos físicos, em razão de sua pequena capacidade de percepção, se enganam, perdem detalhes e profundidades, para permanecerem na superfície.

O mais importante é sempre invisível aos olhos nus e, não raro, muito daquilo que se vê, já não existe mais naquela forma.

Certas estrelas, vistas hoje fulgurantes, desintegraram-se ou consumiram-se há milênios...

O maior fenômeno produzido por Jesus, e mais importante, é o da renovação do ser, da sua transformação moral para melhor.

A integração da criatura harmonizada no equilíbrio cósmico é a Sua meta.

As vestes orgânicas decompõem-se, são substituídas ou transformadas, mas o ser que as mantém é imperecível.

A mensagem essencial, profunda, é a que produz o bem eterno, impregnando de paz e de sabedoria. E ela se encontra ínsita no amor, do qual ninguém foge para sempre.

Agora, Ele não mais se detém. Já não há silêncio.

Os fenômenos multiplicavam-se ali: a cura do morfético, a pesca maravilhosa, a recuperação do paralítico descido pelo telhado...

As multidões avolumavam-se à Sua volta, exigentes, sedentas.

A leviandade aplaudia os feitos e não escutava as palavras, que curavam por dentro, quando assimiladas e vividas. O entusiasmo cercava os Seus passos, e a inveja e a malícia preparavam armadilhas.

Conjurações entre fariseus e herodianos faziam-se mais frequentes.

Desejavam matar o Idealista, porque não conseguiam apagar as ideias, deter a marcha do pensamento.

Tal é o recurso dos homens pequenos, dos pigmeus, diante dos gigantes.

Inimigos entre si, uniam-se contra Jesus, pois que os seus eram interesses comuns – manter a treva, aumentar a ignorância, *dividir para governar*.

Os acordos políticos interesseiros pareciam ameaçá-lO...

A astúcia era posta em vigília para vencer a razão.

O ódio crescente surgia para afogar o amor.

Vãs tentativas de vitória aparecem como infelizes triunfos da ilusão.

O mundo transitório sonhava esmagar a vida perene.

As ideias, que Ele espalhava aos ouvidos das multidões, vencem as distâncias.

Mercadores e viajantes, pastores e agricultores, príncipes de sinagogas, soldados vulgares e publicanos, fariseus hipócritas e sacerdotes, chegados de todo lugar desejando vê-lO, após ouvirem falar a Seu respeito, escutavam os Seus conceitos, com reações diferentes.

O Semeador semeava, e a semente era luz.

Jamais se apagaria essa claridade, multiplicando-se na sucessão dos tempos.

O inverno cedia lugar à primavera e esta ao verão, enquanto a Presença prosseguia outono afora, anunciando uma eterna primavera.

O Reino dos Céus está dentro de vós.

Vedes o argueiro no olho do vosso próximo e não vedes a trave no vosso.

Nenhuma das ovelhas que o Pai me confiou se perderá.

Ninguém entrará no Reino dos Céus sem pagar a dívida, ceitil por ceitil.

As virgens prudentes aguardam os noivos e poupam o azeite das suas lâmpadas, enquanto as loucas...

Prudência e loucura!

A canção incomparável estava vibrando no ar.

Tempos novos surgiam, que logo se instalariam.

Vitória da vida, em forma de ressurreição após a morte.

Toda aquela trajetória Ele planejara antes de mergulhar nos fluidos densos do planeta terrestre.

...E antes que Abraão fosse, eu já era.

Construtor do mundo, veio, Ele próprio, caminhar e conviver com as pessoas, experimentar suas lutas e estoicismos, suas misérias e grandezas, suas mesquinharias e altruísmos.

A estrela brilhava no charco à noite, e o Astro-rei o beneficiava durante o dia.

Jamais será esquecido o Seu Ministério!

19

ARREPENDIMENTO E PAZ

Num intervalo das agudas perseguições, retornando da Samaria, onde falara para muitos conversos e curara com João, Pedro foi procurado por um jovem que trazia o corpo coberto de pústulas nauseantes, no afã da Casa do Caminho, sempre repleta de necessitados.

Desfigurado pela inflamação da face, eram apenas os olhos miúdos que brilhavam e a voz rouca suplicando comiseração.

Quando o apóstolo se aproximou, o enfermo prosternou-se, e exclamou:

– *Homem santo de Deus!*

Pedro interrompeu-o com veemência:

– *Sou apenas homem impuro como tu...*

– *Mas podeis curar-me* – choramingou o visitante em desequilíbrio. – *Eu acabo de ser expulso da cidade, do convívio dos sãos, em razão da lepra que me devora o corpo e a alma infeliz...*

Não pôde prosseguir. Quase em convulsão, tartamudeou:

– *Tudo começou... No Templo... No apedrejamento...*

Pedro quase recuou, horrorizado. Recordava-se daqueles olhos perversos, frios, e dos gritos do agitador, que conclamava a turba em fúria, para a lapidação de Estêvão. Jamais o esqueceria. Era jovem e guapo, ágil e violento. Gargalhava e apedrejava o prisioneiro indefeso. Apiedara-se dele a partir daquele momento.

Pedro conhecia a força do *choque de retorno* nas *carnes*, da própria *alma*. Orou por ele, então, naquela ocasião, e agora ele estava ali suplicante.

– *Que te aconteceu?!* – indagou, compungido.

– *Não vos recordais de mim?!* – interrogou, desconsolado. – *Apedrejei e conduzi a malta contra o vosso irmão até a Sua morte, há pouco tempo...*

Fez-se grande e dorido silêncio, que ele quebrou, dando prosseguimento:

– *A partir daquele dia – ainda me recordo da mirífica luz que vi brotar do mártir antes de morrer –, perdi a alegria barulhenta de viver, eu que, alucinado, já não tinha paz. Os Seus olhos, em chama e em tranquilidade, desvairavam-me. Tropecei no arrependimento mais cruel e fugi para a embriaguez dos sentidos, a que já me acostumara.*

"Por mais desejasse esquecer, aumentava-me sempre a lembrança do crime, da crueldade perpetrada."

Silenciou por um pouco, e aduziu:

– *Passei a sentir comichão nos braços apedrejadores e dores nas articulações. Pequenos botões em flor de carne avermelhada surgiram-me na pele e começaram a explodir em pus... Depois, no peito, no ventre, nas pernas, no rosto, em todo o corpo... E a febre que me açoita, arbusto frágil que sou no vendaval, não cessa, enlouquecendo-me.*

Os doutores receitaram-me unguentos, sacrifícios no Templo, que executei, sem resultado.

Hoje me expulsaram... O vale dos imundos será o meu lugar.

Recordei-me de vós, que curais as doenças do corpo e do espírito, porque a minha é enfermidade da alma perversa, que se exterioriza no corpo infame.

Tende piedade, em nome do vosso Mestre! Mandaram--me procurar-vos, os parentes meus, que fogem de mim.

Venho rogar perdão, antes de matar-me, pois que, mil vezes é melhor a morte com a honra do que a vida com desgraça!

– *Acalma-te, meu filho* – ripostou o apóstolo –, *e não blasfemes.*

A vida é bem de Deus, que a dá, a conduz e a interrompe no corpo quando Lhe apraz, a fim de trasladar a alma à eternidade, onde nada perece. Necessitas viver, a fim de reparares o teu mal, o que fizeste aos outros, e encontrares a felicidade real, que ainda não desfrutaste.

Realmente, os erros aqui na Terra cometidos, como nos ensinou o Senhor, aqui serão resgatados. Arrepende-te sinceramente, e não apenas para recuperares a saúde, porque, enquanto não se dá a transformação interior, transita-se de uma enfermidade para outra, sem que se encontre a saúde real, que é paz de espírito.

O jovem, deformado pelas ulcerações, ainda ajoelhado e súplice, afogava-se no caudaloso rio das lágrimas.

Profundamente compadecido, o apóstolo orou a Jesus.

Não terminara a prece sentida, quando vislumbrou Estêvão, nimbado de claridade diamantina, adentrando-se pelo recinto, sorrindo e acercando-se.

Simão ficou extasiado e começou a chorar suavemente.

Pedro – falou o visitante iluminado –, *o amor e a caridade são as asas que nos elevam o ser a Deus, quando o conhecimento da verdade sustenta-lhe o pensamento e vitaliza-lhe o coração. Socorramos o pobre irmão, que corre pelo apertado espaço de sombras, no qual se encontra, para que reconquiste a saída para a luz libertadora. É da Divina Lei que retribuamos com o bem todo o mal que recebermos. Assim, não há alternativa, senão amar e ajudar.*

As feridas que cobrem o corpo do enfermo são as energias negativas que o intoxicavam e agora são expelidas. O seu arrependimento e os propósitos para tornar-se melhor, secarão o poço de peçonha. Mas nós lhe devemos cicatrizar as chagas externas com o bálsamo da compaixão.

Simão, então, explicou ao enfermo:

– *Os Céus ouviram tuas súplicas, e Estêvão, vivo e puro, vem te auxiliar através das minhas mãos e do teu arrependimento real.*

Colocando a destra sobre a cabeça e a sinistra sobre a fronte febril, Pedro orou, enquanto o doente estorcegava, afirmando arderem o corpo e as chagas, até cair exausto, banhado por álgido suor.

Terminando a aplicação de energias, o *pescador de almas* tomou-o nos braços fortes, acostumados a segurar as redes no Mar da Galileia, e recolheu o paciente desmaiado à enxerga mais próxima.

Lentamente as feridas e intumescências vermelho-arroxeadas começaram a murchar, e a pele foi-se recuperando, até tornar-se lisa e sem mancha.

Deixando-o dormir, o discípulo abnegado recordou-se de Jesus e balbuciou comovido:

– *...E não tornes a pecar, para que não te aconteça algo pior.*

Afastou-se em silêncio, com o coração explodindo de alegrias e de gratidão a Deus, reflexionando na sabedoria e misericórdia das Leis da Vida.

20

O REINO DE LUZ

O imediatismo é característica predominante em a natureza humana, em face dos conflitos que a tipificam e das heranças ancestrais das quais procede.

Guiada por impulsos gerados no instinto de conservação da vida, os seus movimentos e aspirações centralizam-se no desejo do prazer, no gozo dos sentidos, cuja libertação dá-se vagarosamente, por disciplinas impostas pela razão, à medida que a lucidez do pensamento faculta a compreensão dos objetivos existenciais.

Por isso mesmo, os indivíduos estagiam por largo tempo no primarismo, e quando despertam para as realidades mais elevadas, permanecem ainda vinculados mais ao passado do que conquistando o presente, menos aspirando ao futuro.

Mas a marcha da evolução é inexorável e o corcel fogoso que galopa desenfreado cansa, cedendo lugar ao cavaleiro hábil e racional que passa ao comando, no qual estão desenhados o destino feliz e a conquista dos altiplanos que o aguardam, onde a visão do infinito é mais profunda e clara.

Quem se recusa à ascensão permanece enfermo, asfixiado pelos vapores mefíticos das baixadas, onde os cadáveres se decompõem e o lodo se acumula.

É imprescindível crescer, alcançar as alturas e planar nas asas vigorosas do progresso.

Esse processo-desafio para o desligamento das faixas mais densas e perturbadoras constitui a meta essencial, prioritária da reencarnação, que faculta conquistas mais relevantes à medida que as etapas iniciais são vencidas e ultrapassados os obstáculos.

Era compreensível, portanto, que Jesus, no Seu tempo, enfrentasse dificuldades quase intransponíveis, quando veio instalar os alicerces do Reino de Deus.

Os homens, então, disputavam entre si os reinos dos outros homens.

As guerras encarniçadas destruíam, vitimavam; eram abutres sobrevoando destroços, onde se misturavam ruínas e escombros com vidas ceifadas em putrefação.

Esses reinos eram e são conquistados pela traição, à força; pelas armas, à crueldade.

Os vencedores desfilavam, e ainda hoje passam sobre corpos vencidos, arrastando troféus que exibem e escravos que desfalecem sob os pesados ferros que têm de carregar.

Seus triunfos, no entanto, eram breves, e logo outros odientos conquistadores os esmagavam, tornando-os hilotas, humilhados e vencidos.

A roda do triunfo-derrota não parava de movimentar-se, ensanguentada, esmigalhando coroas, cetros, armas e criaturas que ficavam despojadas de tudo, até mesmo da existência física.

Mantinha-se o círculo vicioso do poder-desgraça, glória-derrota, que fascinava os aficionados da ilusão.

Infelizmente, ainda hoje é quase assim...

Os milênios de acerbas dores e as páginas lúgubres da História não conseguiram despertar os filhos do deus da guerra, apaziguando-os, ou ensinar aos gananciosos e prepotentes que só existe uma vitória duradoura, e essa é a que se dá sobre si mesmo.

Os conquistadores de fora sempre tombam vencidos sobre os seus conquistados.

Terrível ironia essa, a do destino dos poderosos transitórios do mundo!

Quando assim não lhes sucede de imediato, a morte os abocanha e os sepulta na vala comum da igualdade entre os que os precederam na arena das batalhas perdidas.

Alguns ficam homenageados em pedras frias ou metais trabalhados, porém sem vida, retornando, eles mesmos, muitas vezes, para preservarem a memória, cuidando dos restos inertes que o mundo lhes legou, isto quando voltam logo, e não se escondem na loucura, na hebetação, nas deformidades, a fim de fugirem das vítimas que ensanguentaram, ou fizeram definhar pela fome, pelas doenças, nos cárceres hediondos onde foram jogados até a morte...

Não podiam compreender Jesus e o Seu Reino, esses indivíduos; Reino que é destituído de características externas, que não promove ruídos nem agita bandeiras que tremulam sobre cadáveres nos campos bélicos da Terra.

Os seus reinos fixam-se sobre ruínas e são cobertos de sombras.

O Reino de Jesus se levanta nas terras altas do bem e é vestido de luz.

Os reinos do mundo são feitos de esplendor rápido e decadência demorada.

O Reino de Jesus é erguido vagarosamente e esplende para sempre.

O reino terrestre muda de comando, e o de Jesus permanece sob a Sua governança.

Diferem, frontalmente, os dois reinos: o passageiro e o definitivo.

Todos aqueles que, dizendo atender-Lhe ao apelo, trombetearam suas conquistas e exibiram os espólios que trouxeram das lutas, não O entenderam, e batalharam por eles mesmos, não pela Sua Mensagem.

Quase todos eles que O escutaram queriam a posse do reino terrestre, enquanto Sua voz se referia ao celeste; ambicionavam triunfar sobre os outros, ao tempo em que o apelo era para a vitória sobre si mesmos; disputavam-se as coisas do mundo, e o convite fazia-se em relação ao despojamento; combatiam em favor da autoglorificação, embora o apelo fosse em prol da autolibertação...

A sociedade, sacudida por tempestades, vendavais destruidores, perdera a sensibilidade para as aragens leves do Evangelho; acostumada ao carro das calamidades que passava destruindo, já não possuía audição para as melodias da esperança, que ora lhe rociavam a acústica da alma.

Jesus compreendia aqueles que não O compreendiam.

Ele iniciava o ministério do despertamento das consciências obnubiladas e aguardaria que o tempo e a dor produzissem o acordar demorado das vidas quase perdidas, quase fanadas.

Assim mesmo, lançou as balizas do Reino de Luz nas sombras dominantes, colocando pilotis vigorosos nas almas, a fim de que o tempo não desestabilizasse as bases da futura construção.

Cimentou cada bloco com o amor e desdobrou os planos que apresentou ao mundo na Carta Magna das Bem-aventuranças.

O programa tornou-se indispensável para a Humanidade.

Redesenhou as paisagens das lutas, interiorizando-as, por saber que os mais terríveis inimigos da criatura são as suas paixões selvagens, que dormem no íntimo de cada qual, acenando com a possibilidade de vitórias internas após os combates silenciosos contra o egoísmo, o orgulho e seus sequazes, estes, sim, os verdugos reais da sociedade.

Fez-se modelo, oferecendo-se em holocausto, para demonstrar que esse Reino vence o do mundo e submete-o à sua luminescência, triunfando para sempre, sem transitoriedade nenhuma...

Renitentes no erro e no vício, retornaram os homens à luta externa em nome d'Ele, e ergueram construções monumentais, acumularam quinquilharias que poderiam salvar milhões de vidas e permanecem nos subterrâneos fortalecidos da avareza, mantendo a pompa e a ilusão, a titulação e os enganos do mundo, embora Ele houvesse dito que o *Seu Reino não é deste mundo*, conforme ainda o repetem esses dominadores do mundo.

Vã utopia da insensatez e da loucura!

Lentamente, porém, o Reino que ele veio instalar concretiza-se no país das almas que realmente O amam, e já lhes amanhece o dia que Ele anunciou, quando, cansados da larga noite, os homens e as mulheres do mundo deixam-nO preencher-lhes o vazio dos corações.

21

NEM PRATA NEM OURO, MAS...

Pairavam na memória dos discípulos de Jesus o doce encantamento das experiências ao Seu lado, e as cruas quão dilacerantes cenas da Tragédia.

Reconfortados pela Sua ressurreição, cantavam-lhes nas almas as festivas reminiscências dos reencontros com o Amigo Redivivo, em exuberante vitalidade, que nunca mais desapareceria das suas existências.

O palco imenso da rude e ingrata Jerusalém, onde se desenrolaram os acontecimentos quase inexplicáveis que o Gólgota exibira em hediondez e o túmulo não silenciara em sombras, agora era novo cenário, no qual ocorrências diferentes e multiplicadas aconteciam.

As notícias do retorno do Mestre produziram diferentes reações, como seria de esperar-se: alegria e curiosidade nas massas, medo e perversidade nos culpados.

Desejando silenciar a Voz da Verdade, tornaram-na mais potente; pretendendo matar o Cantor, fizeram-nO mais vivo, e objetivando anular-Lhe a Mensagem, abriram mais amplo espaço para fazê-la ouvida.

Uma sucessão de eventos ditosos impediu que o esquecimento geral sepultasse a melodia de libertação do Conquistador Celeste, o que sacudia continuamente a opinião nas praças e assustava os habitantes soezes dos palácios e dominadores do Templo.

Jesus prosseguia vivo na memória geral e atuante em toda parte.

Fora visto em diferentes lugares, e os testemunhos eram insuspeitos.

Uma aragem perfumada espraiava-se pelas diferentes regiões e nelas Ele retornava, dialogando, cumprindo o anúncio da sobrevivência.

Ninguém, nem nada, pudera detê-lO.

O ódio, que envilece, também cega; igualmente intoxica e alucina.

O assassinato do Justo não bastara para os criminosos que, desejando fazê-lO um traidor, criaram um mártir; planejando maculá-lO, desnudaram-Lhe a pureza, e crendo aniquilá-lO, abriram-Lhe as portas fantásticas da imortalidade com que confirmava todos os *ditos e feitos*.

A orgulhosa e fria Jerusalém fora erguida com pompa, e o seu Templo sobre o Monte Moriá constituía o máximo da glória de Israel, que se ufanava do *Deus Único*, embora subjugada pela *águia romana*, em cujas garras o mundo conhecido debatia-se e estertorava.

A política vil e a ganância arbitrária misturavam--se às disputas governamentais dos poderes civil e militar, entregues aos romanos, e religiosos, nas mãos hábeis dos sacerdotes, na sua maioria inescrupulosos.

O poder e a miséria mesclavam-se, trocavam de lugar, qual ocorre ainda hoje.

Os átrios e a entrada do Templo suntuoso, desafiador, majestoso e extravagante nas ornamentações com que Salomão o engrandecera após sua construção, mantidas depois da reconstrução feita por Zorobabel, permaneciam repletos de miséria: a moral – dos cambistas e vendedores; a mental – dos alucinados; a orgânica – dos enfermos; a econômica – dos pobres; a ociosa – dos desocupados e aventureiros.

No seu interior, entre liturgias e cerimoniais, a face gelada da religião formal confundia o *temor a Deus* e o ódio aos romanos, a indiferença pelas criaturas e a astúcia para manter o domínio sobre as consciências adormecidas.

Os perfumes rituais exalavam dos incensórios e trípodes espalhados por todos os lados, confundindo-se com a sudorese do poviléu e suas chagas abertas.

O país, porém, e a cidade, acorriam com a assiduidade exigida aos cultos que ali se celebravam, conforme o calendário estabelecido. Além dos dias festivos, que celebravam o cativeiro ou a libertação, o sofrimento no deserto ou as concessões divinas, também se apresentavam os ofícios habituais expostos pela Lei.

Foi num dia comum, igual a outro qualquer, ante as atividades da cidade febril e a monotonia da realização religiosa, que Pedro e João, dando prosseguimento à obediência exigida pela Tradição, *subiram ao Templo para a oração da hora nona.*[16]

---

16. Atos, 3: 1 a 10 (nota da autora espiritual).

Esfervilhavam nas suas mentes as recordações de Jesus, e a sinfonia das Suas palavras marcava os movimentos e o pulsar dos sentidos e do coração.

Os infelizes desfilavam suas misérias e dores, exibindo suas exulcerações.

Quase à Porta Formosa, rica de adornos, entrada especial para o interior das imponentes edificações do Templo, *um coxo de nascença, que era trazido ali para mendigar, vendo que eles iam entrar, implorou-lhes que lhe dessem esmola.*

A esmola sempre foi um recurso da indignidade humana, que afronta aquele que a recebe e torna mesquinho quem a oferta.

Jesus subverteu-a, oferecendo o amor que dignifica e que liberta.

Pedro, recordando-se do Divino Médico e Benfeitor, tomado de compaixão, disse ao solicitante: – *Olha para nós!*

Supondo que ia receber as migalhas habituais, o mendigo dirigiu-lhe o olhar e foi surpreendido com a dádiva incomum: – *Não tenho prata nem ouro para te dar* – esclareceu o apóstolo –, *mas o que eu tenho, dou-te: em nome de Jesus, o Nazareno, anda!*

Aconteceu muito rápido. Relâmpago que fere a noite escura e cinde-a, os fatos atropelaram-se, para espanto geral.

Tomando-o pela mão direita, o levantou; logo, os seus pés e artelhos se firmaram, e, dando um salto, pôs-se de pé e começou a andar.

Ato contínuo, cantando louvores, ele entrou no Templo com os dois, andando e exaltando Deus.

Como era natural, a estupefação tomou conta das pessoas que conheciam o pedinte da Porta Formosa, agora recuperado. Tomadas de espanto, acorreram a informar-se do acontecido.

Instaurava-se em definitivo o amanhecer da Nova Era.

O *arrependido das negações* erguia-se para demonstrar que o amor é a terapia por excelência e a misericórdia é a companheira que balsamiza todas as chagas da vida e do coração.

A Humanidade possui prata e ouro em abundância e misérias morais em quantidade.

Poucos distribuem esses valores e perdem-se entre os celerados, os carentes morais do mundo.

Alguns se liberam dessa escravidão e repartem um pouco.

Os verdadeiros cristãos, no entanto, que não possuem os tesouros que se gastam, se roubam, se perdem, despertam disputas e paixões, oferecem o que têm, distendem e promovem a criatura, impulsionando-a para a felicidade, para caminhar por si mesma no rumo da libertação.

Não doam coisas – doam-se a si próprios.

Não possuem moedas, mas amor.

– Nem prata nem ouro, mas...

22

SILÊNCIO IMPOSSÍVEL

O progresso marcha, lenta ou aceleradamente, e ninguém o pode deter. É o processo natural da vida, que evolui sistematicamente sem nunca parar. O repouso, por isso mesmo, e a inércia não fazem parte dos seus quadros.

O mesmo ocorre com a verdade. Não pode ser impedida, porque seu fluxo, o seu curso é inestancável.

Quanto mais lúcida a civilização, mais claro se lhe desvela o conhecimento da verdade, ultrapassando o chavão comum, que fala a respeito daquela que é de *cada um*. Expande-se e, mesmo quando sombreada pelos cúmulos dos preconceitos e dos comportamentos arbitrários, rompe o aparente impedimento e brilha com todo o esplendor.

A verdade é única, embora sejam conhecidas apenas algumas de suas faces – particularmente aquelas que podem ser aceitas sem muitas discussões ou querelas.

As palavras, que pretendem apresentá-la ao mundo e às pessoas, não poucas vezes alteram-na, confundem quem a busca, dividem-na em ideologias e interpretações, causando dificuldades e problemas.

Dela se utilizam todos os indivíduos, conforme a estrutura mental e o interesse moral de cada qual.

Matam em seu nome, embora ela proceda do Amor; perseguem sob a sua bandeira, apesar de expressar-se como paz; confundem-na mediante os seus textos, e a sua proposta é clara quanto universal; separam, seguindo as regras de interpretação que lhe concedem, mesmo originada do pensamento unívoco de Deus...

Todas as pessoas pretendem possuí-la, e quando pensam detê-la, ou querem retê-la, eis que escapa e expande-se.

Buscam asfixiá-la em um lugar e ressurge noutro.

Imbatível, termina por impregnar as mentes e acolher-se nos corações.

A verdade é transparente como a luz diáfana do amanhecer; é vida que nutre e pão que alimenta.

A verdade procede de Deus e a Ele conduz o pensamento, as realizações e os seres.

Por isso, é impossível o seu silêncio.

A inquietação é inimiga da serenidade, e esta resulta do conhecimento da verdade.

Na quietude da meditação e no recolhimento do trabalho, ei-la que se expressa, abrindo espaço para a iluminação.

Para perpetuá-la no seu conteúdo espiritual, os místicos e santos de todos os tempos retiveram-na em indumentárias delicadas: contos, *koans*, lendas, e Jesus apresentou-a em encantadoras parábolas.

Os homens, em diferentes épocas, temiam-na e por isso não a aceitavam desnuda. Mas a recebiam, para o entendimento, quando adornada de fantasias, de fábulas, de símbolos.

Naquela circunstância, era necessário que todos a conhecessem na sua apresentação legítima: o fato consumado, inegável.

Todos quantos ali estavam, viram-na e comoveram-se. Talvez não a tenham entendido.

Por isso, apelaram para os envoltórios, a que se acostumaram.

O coxo andara e prosseguia andando. Não se tratava de um impressionável adolescente, mas sim, de um homem de quarenta anos, maduro, que sabia discernir, e dava o testemunho: – *Eu era limitado; agora ando.*

Este o fato: a verdade inconfundível!

Há pessoas que preferem ignorar a verdade, porque aceitá-la é ver-se na encruzilhada da decisão. Não mais se pode ser como anteriormente, receando mudar e não possuir forças para prosseguir. Essa energia, no entanto, haure-se nela mesma, que impulsiona para frente, que sustenta no desempenho e vivência dos seus postulados.

Adiá-la significa prosseguir na ignorância, sofrer, quando se torna possível ser feliz.

Jesus afirmou que a verdade liberta, porque desalgema, dignifica, impondo responsabilidade e dever, que são as suas primeiras consequências.

Pedro e João conviveram com o Mestre, que a expressara em palavras, na conduta e na autodoação.

Pedro fora vítima da própria defecção, por fragilidade moral; porém, sustentado pela verdade, reergueu-se e tornou-se seu embaixador.

Com o jovem amigo, que a possuía iluminando-o interiormente, pôs-se a apresentá-la de forma incorruptível. Agora era hora de confirmá-la.

A notícia do feito alcançou os ouvidos das torpes e atormentadas autoridades da governança.

Receosos do efeito do acontecimento, tomaram providências, mandando seus esbirros aprisionarem os dois humildes galileus que provocavam tal rebuliço.

Temiam que o fermento do bem levedasse a massa informe e ameaçasse a sua dominação inescrupulosa.

A alternativa para a sua mesquinhez era o poder da força.

E mandaram ao cárcere os inimigos em potencial, conforme via sua óptica distorcida.

Sempre se repete a cena da covardia: intimidar a verdade, ameaçando ou vencendo aqueles que a apresentam. Porque não a podem vencer, buscam silenciá-la, inutilizando os seus porta-vozes.

Já era tarde, quando os prisioneiros foram trazidos ao Tribunal, e, por isso mesmo, foram arrojados ao cárcere até o dia seguinte, quando os submeteram a interrogatório diante do recuperado paciente, que prosseguia saudável.

Novamente mediunizado, Pedro enfrentou os algozes e não se deixou atemorizar ou confundir ante os hábeis sofistas enganadores do povo.

Haviam sido presos porque fizeram o bem em nome de Jesus Cristo.

– *Ele* – afirmou o apóstolo – *é a parte desprezada por vós... Não há salvação em nenhum outro...*[17] *porque dentre os homens Ele é o maior.*

Havia altivez no porte e exatidão no verbo.

Assombraram-se os pusilânimes e tomaram a atitude que lhes era habitual: conciliar-ameaçando, libertar-intimidando.

Assim, num conluio infame, resolveram proibi-los de referir-se a Jesus, o Cristo.

Não detectaram nos discípulos do Rabi qualquer crime ou erro passível de punição, mas também por *medo do povo que glorificava a Deus*, do que por outra razão.

Responderam-lhes, então, os interrogados:

– *Se é justo diante de Deus ouvir-vos antes do que a Deus, julgai-o; pois nós não podemos deixar de falar das coisas que vimos e ouvimos.*

O silêncio era-lhes impossível.

Podiam perder o corpo; mas com a verdade ganhavam a vida.

Não se pode deixar de mencionar a verdade que decorre do encontro com os seus conteúdos.

As perseguições chegariam, mas a verdade permaneceria, também, sem jamais ser abafada...

17. Atos, 4: 1 a 22 (nota da autora espiritual).

23

TEMPOS DE REFRIGÉRIO E RESTAURAÇÃO

As notícias do fenômeno da cura do coxo na Porta Formosa correram céleres como ventos desgovernados pela garganta dos vales.

Transeuntes habituais e mendigos outros conheciam o antigo enfermo, que lhes compartia o drama e o sofrimento, oriundos da miséria moral e econômica.

Vendo-o saltitante e cantando louvores, não podiam sopitar a inveja da sua sorte nem a ambição de se curarem também.

Supersticiosos e ingênuos, afirmavam ter acontecido um milagre que jamais ali ocorrera antes.

Os comentários eram surpreendentes e as opiniões, desencontradas.

– *Farsa!* – explodiram os incrédulos, e saíram blasfemando.

– *Satanás. Foi Satanás quem o curou!* – afirmavam os mais ignorantes e, portanto, mais fanáticos, dando de ombros.

– *Glória a Deus!* – exclamavam os convencidos, e permaneciam expectantes.

Os discípulos de Jesus, porém, avançaram no rumo do Templo, acompanhados pelos curiosos e o recém-curado que os segurava, até chegarem ao Pórtico de Salomão, uma das entradas principais.

E porque o tumulto se avolumasse, inspirado e audaz, Pedro esclareceu:

– *Israelitas! Por que vos maravilhais deste homem, ou por que fitais os olhos em nós, como se por nosso poder ou piedade o tivéssemos feito andar?!*[18]

Pedro conhecia os seus compatriotas, que passavam do júbilo à revolta, da crença exagerada à dúvida cruel, do apoio à pedrada.

Quanto eles viram Jesus fazer!

Aclamaram-no ao entrar na cidade, fazia pouco tempo, e apuparam-nO logo depois, pedindo para Ele a crucificação.

Mentes ao vento do interesse mais chão, mudavam de direção conforme a força predominante.

Assim, prosseguia com firmeza, os olhos fulgurantes, a voz vigorosa:

– *O Deus de Abraão, de Isaac e de Jacó, o Deus dos nossos antepassados, glorificou Seu Servo Jesus, a quem vós entregastes e negastes perante Pilatos, quando este havia resolvido soltá-lO; mas vós negastes o Santo e Justo, pedindo que se vos desse um homicida.*

---

18. Atos, 3: 11 a 19 (nota da autora espiritual).

Era um discurso forte para despertar as consciências anestesiadas pelo mal, para direcionar o pensamento, arrancando-o da vileza moral.

Sem temor, o apóstolo prosseguiu, enquanto todos pararam para escutá-lo.

Pairava no ar a doce vibração de paz e o suave enlevo da esperança.

– *Matastes o autor da vida, a quem Deus ressuscitou entre os mortos, do que nós somos testemunhas. Pela fé em Seu nome fortaleceu o Seu nome a este homem, a quem vedes e conheceis. Sim, a fé, que vem por meio de Jesus, deu a este homem saúde perfeita na presença de todos vós.*

A verdade, que é luz, apunhalava-os, rasgando-lhes a treva interior para ajudá-los no discernimento.

Atenuando as acusações, explicou com suavidade:

– *Agora, irmãos* – a palavra era dúlcida e meiga –, *eu sei que o fizestes por ignorância, como também as vossas autoridades; mas Deus assim cumpriu o que já dantes anunciara pela boca de todos os profetas: que Seu Cristo havia de padecer.*

Agora, como o majestoso de uma sinfonia ímpar, Pedro propôs:

– *Arrependei-vos e convertei-vos, para serem apagados os vossos pecados, de sorte que da presença do Senhor venham tempos de refrigério... tempos de restauração de todas as coisas...*

O Arrependimento é indispensável para o real despertamento do ser. Medida de análise dos atos pelo árbitro da razão que discerne, aponta as falhas e demonstra a gravidade do equívoco, falando à consciência a respeito da insensatez do delito. É o começo da transformação moral, convidando o indivíduo a sair da teimosa atitude de desequilíbrio para alcançar o patamar da harmonia.

Mas não basta por si mesmo, porquanto os danos perpetrados devem ser reparados, e o terreno perdido necessita de ser reconquistado.

O passo imediato já se encontra no ato de arrepender-se, que é o sofrer pelo mal que se praticou.

Despertar para a conscientização íntima gera dor e amargura, pelo desperdício de tempo gasto e pelos prejuízos causados a si mesmo e ao próximo. Tal sofrimento, no entanto, é benefício, pois consolida o arrepender-se. Entretanto, faz-se urgente a etapa final, que é reparar o mal produzido, recompor o que foi danificado, refazer o caminho percorrido.

Esse esforço exige maior dose de abnegação e de desprendimento.

O erro é uma experiência malsucedida, natural no processo de crescimento moral das criaturas.

Reabilitar-se é impositivo da evolução, que não pode nem deve ser desconsiderado.

Provavelmente acontecerá que o outro, a vítima, não desculpe, ou não deseje aceitar a justificativa, o pedido de perdão.

Essa postura, porém, somente é negativa para quem a toma, porquanto o arrependido desobriga-se do dever e o outro assume agora o lugar infeliz.

Seguir adiante quem deseja recuperar-se, fazendo o bem e reparando o mal onde este se apresente, é conquista libertadora.

Isso posto, dá-se a conversão ao bem real, à verdade, ao amor.

Converter-se é aceitar a proposta que antes lhe foi oferecida e esteve recusada com acrimônia, com ferocidade, tornando-se-lhe adversária naquele momento.

É também eficaz metodologia para a reparação.

Jesus havia sido negado, traído, abandonado e crucificado pelos que se beneficiaram do Seu amor e o desdenharam depois.

Havendo retornado da sepultura, prosseguiu amando-os, amando-nos a todos, e o demonstrou mediante a ação de caridade, que fere os sentidos físicos e reconforta a alma dorida, curando as mazelas e deformidades do corpo e do espírito.

Ante a evidência dos fatos, Pedro conclamou os criminosos e comparsas do hediondo drama consumado ao arrependimento e à aceitação dos ensinamentos de Jesus, que já os perdoara, pois que volvera para socorrê-los e libertá-los deles mesmos.

...Para que venham os tempos de refrigério e de restauração.

A mensagem-luz voltava à noite das almas.

O amor-ação despertava os adormecidos.

O calor da alucinação ardia nos seres.

Eram necessários tempos de refrigério, porque novas dores chegariam – preço cruel que o mundo dos sentidos cobra aos espíritos da emoção.

Logo mais, recomeçariam os tempos de ardência, fazendo-se necessário refrigerar aqueles próximos dias, a fim de suportar os outros, os futuros períodos de testemunhos, que precedem os de restauração.

24

A CASA DO CAMINHO EM LUZ

A igreja dos corações reunia-se todos os dias e todas as noites para comentar os feitos e as palavras do doce e enérgico Rabi, assim como para orar e amar.

Os seus membros criaram a primeira comunidade fraternal da Humanidade, sob a inspiração do *Primeiro Mandamento.*

Os que possuíam algo vendiam, oferecendo o valor aos apóstolos do Mestre, para que fosse repartido entre todos os participantes da irmandade.

A pobreza dos bens materiais enriquecia-os com os tesouros da solidariedade e da legítima compreensão dos deveres, que os reuniam no serviço de iluminação de consciências, como de socorro moral e material à viuvez, à orfandade, às necessidades de toda ordem.

Repartia-se o pão entre todos igualitariamente e compartia-se a luz que jorrava do Alto em forma de inspiração e amor.

A presença psíquica do Mestre não permitia que O sentissem ausente, o que os vitalizava sobremaneira.

Respirava-se o odor da pureza e da abnegação.

A ampla casa, no caminho entre Jerusalém e Jope, tornara-se o santuário que acolhia a dor e alçava o indivíduo, crente ou não, mas que fosse necessitado, aos patamares mais nobres da evolução.

Pululavam enfermos de todo matiz, desde os portadores das rosas arroxeadas da hanseníase aos dos cânceres externos em putrefação; os alienados mentais e obsidiados em *patética* de alucinação; os mendigos e idosos sobrecarregados de abandono, fome e doenças; as crianças desamparadas e maltrapilhas, que a indiferença social expulsava da sua presença como se fossem moscas imundas; todos os tipos de párias, inclusive os ociosos e exploradores, que se aproveitavam da caridade dos servidores de Jesus para os exaurir...

A presença de Simão Pedro inspirava paz e confiança; a sua autoridade moral impunha respeito, mesmo aos perturbadores ingratos que afluíam em bandos perniciosos.

As memórias do *pescador de Cafarnaum* a respeito do Amigo sensibilizavam todos na ampla sala, onde ele expunha o pensamento e fundamentava-se nos textos da Lei Antiga como nos profetas de Israel...

Enquanto falava sobre Jesus e as Suas realizações, nublavam-se-lhe os olhos de saudade e dor, pelo arrependimento que o vergastava com frequência.

O auditório atencioso elevava-se, e, em unção mental, criava-se psicosfera propiciatória aos fenômenos mediúnicos mais variados: curas, psicofonia, voz direta, aromas de essências raras, xenoglossia, sob as bênçãos dos Espíritos de Luz...

Estêvão ali vivera até o momento do holocausto, pulcro e abnegado, reconhecido e fiel, inspirado por Jesus, e tornou-se a pedra angular dos sacrifícios que seriam exigidos de todos eles.

Paulo viria mais tarde, exaurido, em quase total consumpção física e moral, sendo recebido com desconfiança a princípio e carinho logo depois, tornando-se amado após as dores que infligira à comunidade.

Enquanto o rebanho, que se multiplicava, exigia a presença de Pedro e João em diferentes lugares, na Samaria, sustentando a fé nos neófitos, as curas sucediam-se e os fenômenos psíquicos ocorriam a partir da *colocação das suas mãos sobre a cabeça* dos conversos, a Casa permanecia sob a direção de Tiago.[19]

De tal forma o perfume do amor exalava das suas almas em beatificação pelo trabalho, que, em Jerusalém, punham os enfermos pelo caminho do Templo e pelas ruas, a fim de que a *sombra* de Pedro, cobrindo-os ao passar, curasse-os, o que sucedia em larga escala, para desespero das autoridades inescrupulosas, que urdiam ciladas para persegui-los.

A inveja é adversário sórdido do espírito, que convive com o seu mundo emocional e elabora os mais vis planos de desforço contra aqueles que lhe chamam a atenção e com os quais não pode competir por falta de valores morais.

19. Atos, 5: 15 e 16 (nota da autora espiritual).

Insinua-se suavemente ou apresenta-se de chofre com as armas da indignidade que não se compadece dos valores da nobreza nem da honradez.

Compraz-se quando persegue; felicita-se quando vê o sofrimento daquele a quem elege como adversário; prossegue no seu infeliz afã, que também é autodilacerador, até consumar todos os seus planos trágicos, e permanece insatisfeita...

Muitas das desgraças que ocorrem no mundo, na esfera do inter-relacionamento social, devem-se debitar à inveja, que é degradação moral e espiritual do ser, devendo combatê-la em si mesmo com todo o empenho e todos os recursos ao alcance.

É filha primogênita do egoísmo exacerbado, que predomina em a natureza primitiva das criaturas humanas.

A inveja, pois, espicaçava os pigmeus do trono e dos altos cargos do Sinédrio, que usavam o poder da força destruidora, por não possuírem a força do poder para fazer o bem e amar.

Multiplicava-se o número de adeptos e de conversos, sem que aqueles *homens simples* soubessem o que e como fazer para albergá-los na comunidade ou ampararlhes as necessidades naqueles mais carentes. Só mesmo a inspiração superior guiava-os.

O salão principal e humílimo ocupava a área central do terreno amplo, abraçado por pequenos e sucessivos cômodos que o circundavam. Neles residiam os trabalhadores, e, nos mais amplos, os enfermos e abandonados encontravam apoio e socorro fraternal.

...Eram dias especiais, sem dúvida, aqueles.

Passada a aridez que culminara no crime do Gólgota, a primavera da esperança espocava flores de bênçãos desde o momento da ressurreição, e essa dádiva-certeza era como brisa cariciosa e vitalizadora que sustentava os herdeiros da promessa do *Reino dos Céus*.

Instalavam, desse modo, na Terra os pilotis do *outro Reino* e ampliavam as balizas da sua dimensão até os confins das distâncias.

Aquele era o modelo para o futuro.

Nem tudo, porém, transpirava somente paz, mas principalmente exigia muito trabalho.

Manter o equilíbrio entre os enfermos intolerantes, caprichosos e que conservavam os preconceitos e as restrições vigentes; acalmar turras e intrigas; preservar a ordem e a disciplina; resguardar a moralidade, na qual se firmavam todos os propósitos, constituía pesada carga, difícil desafio.

Entre os conversos, muitos se arrependiam, porque lhes parecia que o *Reino* estava demorando a chegar, levando-os a defecções, a deserções, assim criando compreensíveis embaraços, que os apóstolos recebiam com paciência e sem desânimo.

Entretanto, a exaltação do amor predominava, e, graças aos fenômenos ostensivos e às curas inegáveis, a perseguição começou a cair desenfreada sobre eles, espalhando todos quantos ali se reuniam, embora preservando os apóstolos que, por momento, os sicários temiam perturbar.

Assim mesmo, Pedro e João novamente foram presos, em razão da multiplicação das curas famosas e imediatas.

Antes, porém, de serem julgados para receberem punição, Gamaliel, fariseu honrado e doutor da lei honesto, mandou retirá-los do recinto por um pouco e advertiu os companheiros com energia:

– Israelitas, atentai bem para o que ides fazer a estes homens...

...Não vos metais com estes homens, mas deixai-os; porque se este conselho ou esta obra for de homens, se desfará; mas se é de Deus, não podereis desfazê-la, para que não sejais, porventura, achados até planejando contra Deus.[20]

Todos os membros concordaram com a oportuna advertência, e os presos foram libertados, retornando à *Casa do Caminho*, onde cantaram glórias e louvaram ao Senhor.

As sombras, no entanto, adensavam-se sobre o céu das alegrias ingênuas, e os corvos do medo e do terror começavam a esvoaçar em volta do grupo heterogêneo de convidados para a Era Nova. Não obstante, a voz do jovem Estêvão arrebatava e a sua melodia tornou-se acusação indireta à hipocrisia farisaica, às aspirações do ambicioso doutor da Lei, o aclamado Saulo de Tarso.

As trevas tombaram, então, sem aviso, e Estêvão foi preso...

Morreu sob pedradas depois de um vergonhoso simulacro de julgamento, contemplando, em êxtase, o seu Mestre amado.

Seria o primeiro mártir depois d'Ele, que iria iniciar os tempos gloriosos das perseguições que se arrastariam por trezentos anos...

A *Casa do Caminho* permaneceria, porém, como símbolo indestrutível do amor e da caridade para todo o sempre, invencível e imaculada, em luz permanente.

---

20. Atos, 5: 38 a 42 (nota da autora espiritual).

25

A TRAMA DO MAL

As aragens blandiciosas de paz, que permaneceram na comunidade dos *Homens do Caminho*, eram lentamente substituídas pelos ventos da perturbação, que penetravam através das frestas morais dos companheiros menos resistentes.

Aumentava o número de aflitos e avolumava-se, cada vez mais, o trabalho para os devotados seareiros, que não eram muitos.

A onda volumosa das curas contínuas trazia multidões esfaimadas e enfermos desesperados que aguardavam milagres, sem qualquer esforço em favor da própria transformação moral.

Quando diminuía a azáfama diurna e a noite recamava-se de estrelas lucilantes, os apóstolos reuniam-se para examinar a situação e tomar providências, reservando-se momentos de paz e de inspiração.

Pairavam na psicosfera ambiente as lembranças do Mestre amado e de Estêvão, apedrejado até a morte.

Alguns desertores, tentando granjear simpatias entre os fariseus, os saduceus e a massa ignorante, teciam comentários desairosos sobre o grupo de amigos do bem.

Uns se diziam espoliados dos haveres; outros asseveram que foram ludibriados na boa-fé e mais outros acusavam os trabalhadores de Jesus de feitiçaria e intercâmbio nefasto com Satanás...

As dificuldades surgiam com frequência, embora o ânimo dos companheiros do Mestre não se abalasse. Como efeito, porém, a cooperação diminuía enquanto aumentavam as necessidades urgentes.

As horas transcorriam rápidas e eram preenchidas pela ação contínua e estafante. Nas noturnas, dedicadas à reflexão, eles davam-se conta de que era chegado o momento do testemunho.

As alegrias, que haviam sido os estímulos para o prosseguimento do labor, estavam sombreadas pelas expectativas de sofrimentos próximos.

Num desses memoráveis encontros, sob a inspiração do mártir apedrejado, João considerou que o instante grave chegava e que o cerco do mal se fazia mais rude, exigindo-lhes vigilância redobrada, paciência irreprochável e amor sem limite...

Selene velava no alto cercada pelos pingentes estelares, enquanto suave brisa perpassava pelo grupo reunido ao abrigo de veneranda figueira.

Havia algo de especial que os fortalecia, brindando-lhes resistência e entusiasmo para o grande enfrentamento.

Cessado o comentário-advertência, o silêncio se abateu sobre eles, quebrado somente pelos sons da noite, os gemidos dos enfermos e alguns gritos de obsessos que se encontravam amparados.

João, rico de juventude, exteriorizava um semblante pulcro, que gerava simpatia, infundia ternura, convidava ao amor sem mesclas de paixão.

Quando se punha a falar, nas assembleias públicas, fascinante, arrebatava. Seu rosto irradiava mirífica luz que o adornava de claridade incomum.

Não obstante as primeiras agruras experimentadas pela igreja nascente, as palestras prosseguiam sem interrupção.

Numa tarde morna, a sala encontrava-se repleta e algo especial envolvia o público, que aguardava o verbo canoro do *discípulo amado*.

Iniciada a atividade por Simão Pedro, que lhe passou a palavra para os comentários sob a inspiração do *Santo Espírito*, o jovem narrou o seu encontro com Jesus na doce e inesquecível Galileia.

Referiu-se às emoções que o tomaram desde então e à sua entrega total ao Amigo que o arrebatara.

Evocando cada momento, deixava-se arrastar pela onda mansa dos júbilos, assinalando cada sentença com delicada referência à felicidade de O amar.

Quando terminou, sutil aroma invadiu o recinto, sensibilizando todos, que mais se deixaram comover.

A sua presença havia sido notada, e certa repulsa perturbara algumas frequentadoras de atividade espiritual.

Era conhecida em Jerusalém, na sua infeliz conduta de vendedora de perfumes e de ilusões.

Lares haviam se desfeito por sua causa, e muitos homens degradaram-se para conseguir-lhe as carícias de altos estipêndios e participarem do seu leito de luxúria.

Os homens também, por conhecerem-na, sentiam-se indignados ao vê-la naquele recinto.

Ali, porém, era o lar dos deserdados e o hospital dos desenganados.

Ela pareceu acompanhar os comentários do jovem evangelizador com certa dose de interesse.

Quando ele terminou, sem preâmbulos e audaciosamente, ela se acercou e pediu ao servo do Cristo uma entrevista de urgência.

João encaminhou-a a um cômodo contíguo, deixando por momentos aqueles com os quais repartia seu afeto em cuidadosos diálogos após as palestras.

Mal se adentraram, a infeliz atirou-se-lhe aos braços e, lasciva, começou a declarar-se:

– *Todos que aqui vêm são vítimas do destino. Também eu o sou. Os outros têm doenças e fome, mas eu trago a dor do amor insaciado...*

O apóstolo recuou, tentando desvencilhar-se dos braços adereçados e do corpo enleante, mas ela insistiu, procurando retê-lo, e disse:

– *Eu vos amo!*

Sem titubear, o jovem fiel redarguiu com energia:

– *Afasta-te, Espírito do mal, e não penses em perturbar o discípulo de Jesus.*

Tomado pela inspiração do Mestre, prosseguia irredutível:

– Deixa essa infeliz em paz, ela que te acolhe com a sua enfermidade moral. Esta é a Casa do amor, em Espírito e verdade.

Ela necessita de ser amada, sim, mas de outra forma; e eu, em nome de Jesus, te digo: liberta-te da loucura e liberta-a!

A pobre mulher foi tomada por peculiar tremor e quase tombou no solo, caso João não a houvesse amparado.

Momentos após, ainda ofegante, com evidentes sinais de arrependimento, narrou ao discípulo admirado e compungido:

– Sou infeliz! Perdoai-me!

Venho aqui a soldo de Matatias, o fariseu do Sinédrio, para tentar-vos.

Ele incumbiu-me de seduzir-vos, para ter motivo de levar-vos a julgamento e apedrejar-vos.

A sofredora chorava, cobrindo a face enrubescida com as mãos espalmadas, enquanto continuou:

– Comprou-me o miserável que também me explora. Perdoai-me!

E agora que fracassei, para onde irei? Ele me matará.

– Se queres mudar de vida e entregar-te ao Senhor, esta Casa também é tua. Podes elegê-la como teu lar, numa vida nova.

A mulher, porém, ainda atônita, recompôs-se e saiu, quase a correr.

As pessoas que se encontravam no salão ouviram algo, mas não perceberam toda a ocorrência, quando a viram passar em desespero...

Uma semana depois de vencida a trama do mal, nos arredores da cidade, uma mulher equivocada e infeliz foi apedrejada até a morte.

Entre os seus sicários encontrava-se o fariseu Matatias...

O ódio, que teima em dominar as criaturas, levando--as a lutar contra o bem, somente será diluído pelo solvente do amor quando este dominar os corações.

GLOSSÁRIO

A	
Abjeto	Imundo, desprezível, ignóbil.
Abnegação	Desinteresse, renúncia, desprendimento, devotamento, sacrifício.
Acalente	De acalentar – confortar, acariciar, mimar, manter.
Acepipes	Petiscos (figos, passas).
Acerba	Dura, árdua, difícil.
Acrimônia	Severidade, sarcasmo, aspereza, crueldade.
Acúleo	Espinho, estrepe, farpa, aguilhão.
Adereço	Adorno, atavio, enfeite, ornamento.
Admoestação	Observação com caráter de crítica, advertência, reprimenda, censura.
Afã	No desejo de, na vontade de, no ímpeto de.
Afável	Afetuoso, carinhoso, cordial, fraterno.
Aficionado	Afeiçoado, admirador, entusiasta, simpatizante.
Afligente	Que causa aflição, angústia, tormento.
Aglutina	De aglutinar – reunir, ajuntar, agregar, congregar.
Agrura	Amargura, aflição, angústia, dor.
Alarido	Confusão de vozes, gritaria, balbúrdia.
Albergar	Dar albergue, acolher, hospedar.
Albergue	Hospedaria, pousada, asilo, abrigo.
Alçava	De alçar – levantar, crescer, galgar, elevar.
Aleluia	Palavra de origem hebraica, que significa "louvor ao senhor".
Algaravia	Confusão de vozes, linguagem confusa, incompreensível, tagarelice.
Álgido	Muito frio, gélido, glacial.
Algoz	(Do árabe *al-gozz*) – Carrasco, verdugo, pessoa cruel.
Alienando	De alienar – enlouquecer, ensandecer, demenciar, perturbar-se.
Alimária	Animal de carga, tais como burro, mula, cavalo, camelo, elefante. Pessoa estúpida.

Almejavam	De almejar – desejar ansiosamente, ambicionar, aspirar.
Altivez	Nobreza, brio, orgulho.
Altruísmo	Abnegação, solidariedade, generosidade.
Alvitre	Conselho, proposição, sugestão, opinião, arbítrio, aquiescência.
Âmago	Centro, essência, íntimo.
Amainar	Abrandar, acalmar, tranquilizar, cessar.
Amealhar	Economizar, poupar, ajuntar, acumular.
Amenidade	Bem-estar, deleite, agrado, delicadeza, cortesia.
Anatematizavam	De anatematizar – excomungar, reprovar, execrar, condenar.
Ancestral	Relativo a antepassados, antecessor, antigo.
Anelam	De anelar – desejar ardentemente, aspirar a, almejar.
Anelo	Ato de querer, desejo, aspiração.
Anuiu	De anuir – aprovar, aceitar, consentir, concordar.
Ápice	Parte mais elevada, ponto máximo, apogeu, auge.
Apuparam	De apupar – vaiar, gritar, insultar.
Arcanos	Que são muito secretos, misteriosos, enigmáticos, ocultos. Segredos.
Archote	Facho que se acende, tocha.
Argueiro	Partícula, cisco, coisa insignificante, ninharia.
Arrostou	De arrostar – encarar, afrontar, desafiar.
Artelhos	Dedos do pé (em Portugal: articulação do tornozelo).
Ascensão	Atingir um grau superior, elevação, subida.
Áspero	Superfície irregular e acidentada. Fig.: rude, duro, severo, austero, ríspido.
Assacaram	De assacar – imputar, atribuir, inventar, caluniar, condenar.
Asseveração	Ação ou efeito de asseverar, afirmação.
Astúcia	Manha, artimanha, ardil, malícia, esperteza.

Astuto	Ardiloso, esperto, malicioso.
Atavismo	Reaparecimento de uma característica no organismo, após várias gerações de ausência da mesma. Tradição familiar, caráter hereditário.
Atônito	Espantado, estupefato, pasmo, atordoado.
Átrio	Principal aposento das casas na Roma antiga, área grande e coberta de acesso a um edifício, vestíbulo.
Aturdido	Atordoado, atônito, confuso, perturbado, perplexo.
Audaz	Corajoso, arrojado, audacioso, destemido.
Autodilacerador	Que retalha com violência a si próprio. Que aflige, que provoca grande mágoa a si próprio.
Avaro	Que tem apego excessivo às riquezas, aquele que cobiça, avarento, sovina, usurário.
Avidez	Vontade exacerbada de possuir algo, ganância, cobiça, ambição.
Azáfama	Afã, trabalho muito ativo, pressa.
Azedume	Amargura, mau humor, irritação.

B	
Bafio	Cheiro de mofo, bolor, fedor.
Bagatela	Ninharia, futilidade, insignificância.
Baliza	Demarcação, separação, delimitação.
Balsamina	Planta que produz bálsamos – líquidos aromáticos espessados, de agradável perfume.
Bálsamo	Líquido aromático e espesso que flui de certas plantas e apresenta propriedades medicinais de suavizar e amenizar feridas. Perfume, aroma.
Bátegas	Chuva grossa, pé d'água, aguaceiro.
Beatificação	A caminho da santificação, elevação espiritual.
Belicoso	Que tem espírito guerreiro, valente, agressivo.
Belzebu	(Do hebraico – *ba'al zebuh*) – O príncipe dos demônios.
Blandicioso	Que tem blandícia, que afaga, meigo, carinhoso.
Blasfemes	De blasfemar – ofender divindades ou religiões. Insultar, difamar, desacatar, desrespeitar.

Borbotões	Expelir grandes quantidades de líquidos, golfadas, jorros, jatos.
Bucólico	Relativo ao campo para descanso e paz na Natureza, rústico, ingênuo, singelo.
Bulhento	Barulhento, ruidoso.
Bulício	Sussurro ou murmúrio contínuo, burburinho.
Burnido	De burnir (ou brunir) – tornar brilhante, polir, lustrar.

C

Camartelo	Martelo especial com uma das extremidades redonda ou quadrada e a outra pontiaguda (gume). Instrumento utilizado em demolição para bater e quebrar.
Campeando	De campear – procurar, buscar, prevalecer, dominar, cavalgar.
Canga	Opressão, sujeição, jugo, peça de madeira encurvada para uso nos bois de tração.
Canoro	Harmonioso, suave.
Capitoso	Que sobe à cabeça, embriagante, inebriante.
Carpido	Que demonstra dor. Sofrido, chorado, lamentoso.
Catadupa	Jorro, derramamento em grande quantidade, queda d'água.
Cataléptico	Aquele que sofre de catalepsia – estado mórbido caracterizado por sono profundo com suspensão dos movimentos e rigidez muscular.
Catilinárias	Discursos proferidos por Marco Túlio Cícero (106-43 a.C.), cônsul romano, contra o senador Lúcio Sérgio Catilina (108-62 a.C.), que liderava conspiração para derrubar a república romana. O conjunto desses discursos foi historicamente denominado como "Catilinárias". Mensagens de acusação, censura, repreensão.
Catre	Leito tosco e pobre, grabato.
Cavilar	(Cavilosa) – Fraudulenta, enganadora.
Caviloso	Fraudulento, enganador, ardiloso, hipócrita.
Ceifa	Ato de ceifar, sega, colher com foice, colheita.

Ceifeiro	Aquele que trabalha na colheita, que corta os cereais, que colhe.
Ceitil	Antiga moeda de baixo valor referida nos evangelhos. Equivale a 1/16 do denário.
Celerado	Criminoso, bandido, vilão, malfeitor.
Célere	Rápido, veloz, ágil, ligeiro.
Céptico	Que duvida de tudo, descrente, incrédulo.
Chãos	(Interesses chãos) – Interesses baixos, mesquinhos, rasteiros.
Charco	Brejo, pântano, atoleiro.
Charrua	Arado com peça de ferro em estrutura de madeira, para lavrar a terra.
Chofre	(De chofre) – De repente, subitamente, imediatamente.
Ciclópica	Gigantesca, grandiosa, enorme, monumental.
Cinde-a	De cindir – separar, dividir, cortar.
Circunjacente	Ao redor de, em torno de, adjacente.
Cizânia	Discórdia, discussão, desarmonia.
Coarctação	Constrição, restrição, compressão, estreitamento.
Colóquio	Conversação entre duas ou mais pessoas.
Combalido	Caído, derrubado, cansado, enfraquecido.
Comenos	Período rápido de tempo, instante, momento, ínterim, ocasião.
Comezinho	Banal, comum, corriqueiro, trivial.
Comichão	Coceira, formigamento, irritação, nervosismo.
Comiseração	Ter pena de, sentimento de piedade, compaixão.
Compartia	De compartir – compartilhar, repartir, partilhar, distribuir.
Compungido	De compungir – sentir remorso, arrepender-se, afligir.
Concatenando	De concatenar – colocar em ordem, encadear, comparar.
Conciso	Que exprime com poucas palavras, sucinto, breve, objetivo.

Concitava	De concitar – estimular, instigar, incitar.
Condão	Dom, intuito, faculdade, propriedade.
Conjuntura	Conjunto de determinados acontecimentos num dado momento, circunstância ou situação.
Conjuração	Conspiração, conluio, conchavo, intriga.
Conluio	Combinação para lesar outrem, maquinação, conspiração, trama.
Conspurca	De conspurcar – que levanta suspeitas sobre a integridade de alguém, que macula, infama, desonra.
Constrição	Pressão circular, aperto, compressão, aflição, angústia.
Constritor	Que constringe, que aperta, que comprime. Que oprime, constrange, domina.
Consumar	Realizar, finalizar, concretizar, concluir.
Consumpção	Ato ou efeito de consumir, definhamento orgânico por doença crônica.
Contíguo	Aquilo que está próximo, junto, perto, adjacente.
Contubérnio	(Do latim *contubernium*) – Menor unidade do exército romano composta por oito soldados. Convivência, relacionamento, camaradagem, familiaridade.
Conversão	Transformação, mudança, alteração.
Conversos	Convertidos, transformados, mudados.
Coxo	Defeito físico que dificulta o caminhar, manco. Subj.: Hesitante, duvidoso, incerto.
Cúmulos	Tipos de nuvens semelhantes a grandes flocos de algodão. Subj.: sombras que se abatem sobre criaturas em sofrimento.
Cupidez	Cobiça, ambição, ganância, avidez.

D	
Dealbar	Ao romper, ao surgir, clarear.

Decápole	(Do grego *decapolis*) – Coligação de dez cidades situadas na margem oriental do Rio Jordão, libertadas por Pompeu, conquistador romano, do domínio dos asmoneus – são elas: Abila, Canata, Citópolis, Damasco, Dium, Filadélfia, Gadara, Gerasa, Hipos, Pela.
Defecção	Abandono de crença, deserção, fuga, desaparecimento.
Delíquio	Fraqueza, dúvida, esmorecimento.
Delito	Erro, falta, atentado, crime, transgressão.
Denigrem	De denegrir – macular, manchar, desacreditar, desabonar.
Desairoso	Deselegante, vergonhoso, indecoroso, inconveniente.
Desalinho	Perturbação de ânimo, desordem.
Desar	Falta de elegância, de graça, infortúnio, desventura.
Desataviado	Despido, sem adornos.
Desconcertam	De desconcertar – desorientar, desarmonizar, desestruturar, transtornar.
Desconcerto	Desordem, desarranjo, transtorno.
Desdém	Desprezo arrogante, grosseria, intolerância, orgulho.
Desdenharam	De desdenhar – não fazer caso, desprezar, escarnecer, menosprezar.
Desdita	Infelicidade, desgraça, desventura.
Desditoso	Infeliz, desgraçado, desventurado.
Desforço	Vingança, desforra, vindita.
Deslindar	Desvencilhar, desenredar, desentranhar, desligar.
Desmesurado	Desmedido, exagerado, excessivo, incomensurável.
Despeito	Ciúme, inveja, desilusão, desapontamento.
Déspota	Tirano, autoritário, opressor, ditador.
Desvairavam-me	De desvairar – alucinar, exaltar, perturbar.
Desvelar	Tornar visível o que estava escondido, levantar o véu, empenhar-se.
Devassidão	Caráter de devasso, libertinagem, licenciosidade.

Diáfano	Transparente, translúcido.
Discerne	De discernir – conhecer com precisão, distinguir, diferenciar.
Dissensão	Divergência de opiniões, disputa, desavença.
Dissidente	Que diverge de opiniões, divergente, discordante.
Dolo	Que tem intenção de, confirmação de erro em outrem, fraude, má-fé.
Dubiedade	Dúvida, incerteza, ambiguidade.
Dúbio	Duvidoso, incerto, ambíguo, vago.
Dúlcido	Doce, meigo, brando, afável.

E	
Efêmero	Algo que dura pouco tempo, ligeiro, passageiro, fugaz.
Eito	Trabalho intenso, limpeza de plantações.
Embevecendo	De embevecer – encantar, enfeitiçar, empolgar, arrebatar.
Embuste	Ardil, tramoia, artimanha, cilada.
Encapelado	De encapelar – ondular ou agitar o mar, encrespar, agitar, abalar, convulsionar.
Encarniçada	Enfurecida, feroz, sanguinária.
Enfado	Impressão desagradável, incômodo, contrariedade, aborrecimento.
Engalfinham	De engalfinhar – atracar-se ao adversário, agarrar-se, discutir.
Engodo	Engano, enganação, atraente, sedução.
Enleante	Que enleia, enlaça ou envolve. Fig.: que atrai, cativa, encanta.
Enlevo	Êxtase, encanto, arroubo.
Enrubescido	De enrubescer – tornar-se vermelho, ruborizar, corar.
Ensancha	Oportunidade, ensejo, possibilidade.
Ensoberbecer	Tornar-se orgulhoso, envaidecer, vangloriar.

Enternece	De enternecer – tornar terno, comover, sensibilizar, embevecer.
Envidarão	De envidar – empenhar, esforçar, dedicar.
Envilece	De envilecer – tornar vil, desonrar, aviltar, rebaixar.
Enxergar	Colchão rústico, cama pobre, catre.
Enxovalham	De enxovalhar – prejudicar a imagem de alguém, denegrir, difamar, injuriar, ofender.
Ermo	Deserto, desabitado, solitário, abandonado.
Esbirro	Guarda-costas, capanga, bajulador, lacaio.
Escaninho	Pequeno compartimento, recôndito, recanto, recesso.
Escarpado	Difícil de subir, íngreme, abrupto, árduo.
Escarpa	Encosta íngreme, penhasco, falésia.
Escrúpulo	Qualidade de ser extremamente minucioso ou cuidadoso, honestidade, lisura, retidão, honra.
Escumilha	Tecido muito fino e transparente de lã ou de seda, gaze. Fig.: o tecido da noite – "...Agasalhados pela escumilha das noites salpicadas de astros lucilantes...".
Escusou	De escusar – eximir, desobrigar, isentar, livrar.
Esfaimado	Faminto, esfomeado, insaciável, voraz.
Esmero	Capricho, requinte, zelo, cuidado, carinho.
Espezinhada	De espezinhar – desprezar, rebaixar, humilhar, oprimir, tiranizar.
Espicaçar	Humilhar, tripudiar, desdenhar, menosprezar.
Espocou	De espocar – estourar, explodir, arrebentar.
Espoliado	Privado, despojado, roubado.
Espólios	Produtos de saques ou pilhagens, despojos, destroços.
Espraiavam-se	De espraiar – espalhar, propagar, expandir.
Estafante	Algo que é cansativo, exaustivo, fatigante.
Estapafúrdio	Algo muito estranho, bizarro, esquisito, extravagante.
Estertoram	De estertorar – falar com voz rouca e crepitante, roncar, ressonar.

Estipêndio	Recompensa, honorário, remuneração, salário.
Estoicismo	Doutrina filosófica grega do séc. III a.C., Que prega o equilíbrio moral e a busca da felicidade, tranquilidade, serenidade (ataraxia). Visa também à resistência ante a dor e a adversidade.
Estorcegavam	De estorcegar – ato de torcer com força, torcer-se de dor física ou moral, contorcer-se.
Estrugem	De estrugir – estremecer com estrondo, estrondear, atroar, retumbar.
Estuava	De estuar – que vibra, que se aquece, pulsar, arder.
Estupor	Estado mórbido em que o paciente não reage a estímulos, torpor, estupefação, assombro, espanto.
Eufemismo	Uso de expressões ou palavras para suavizar uma linguagem indecorosa, desagradável ou ameaçadora. Abrandamento, moderação, atenuação.
Exacerbado	De exacerbar – exigir demais de, aumentar, agravar, agoniar.
Exaurir	Esgotar completamente, debilitar, enfraquecer, extenuar.
Excogitar	Investigar seriamente, pesquisar, procurar, descobrir.
Excruciante	Afligente, angustiante, dilacerante, torturante.
Execrarem	De execrar – abominar, amaldiçoar, desagradar, detestar.
Eximir	Dispensar, desobrigar, isentar, livrar.
Exoramos	De exorar – pedir, implorar, invocar.
Exprobação	Repreensão, acusação, reprovação, censura.
Exprobou	De exprobar (exprobrar) – repreender, censurar, reprovar, acusar.
Expungindo	De expungir – apagar, eliminar, limpar, isentar, livrar.
Êxtase	(Do grego *ékstasis* – sair de si) – Arrebatamento íntimo, encanto, arroubo, contemplação.
Extasiado	Encantado, arrebatado, assombrado, embevecido.
Exulceração	Ferimento, úlcera, dor, aflição, amargura.

F	
Faina	Atividade da tripulação de navio, lida, azáfama.
Famanaz	Célebre, afamado, prepotente, famigerado.
Famélico	Que passa fome, faminto, esfomeado.
Fanada	Amputada, cortada, extinguida, interrompida.
Fanfarra	Banda de música em festividades, composta por instrumentos de sopro, de metal e outros. Sons de instrumentos metálicos.
Favônio	Vento brando do poente, vento propício, próspero.
Fímbria	Franja, orla, borda.
Fomentador	Aquele que desenvolve, incentiva, estimula.
Fórceps	Instrumento cirúrgico utilizado para facilitar a extração da criança no parto normal. Fig.: instrumentos, como a dor e o sofrimento, que impulsionam a criatura ao progresso espiritual.
Fragrância	Perfume agradável que exala das flores, aroma suave de essências de plantas.
Frêmito	Ruído surdo e áspero, sussurro, vibração.
Fremiu	De fremir – vibrar, tremer, estremecer, agitar.
Frívolo	Falta de seriedade ou consideração, coisa sem valor, volúvel, fútil.
Frustração	Desilusão, decepção, desengano, fracasso.
Fugacidade	Qualidade de ser fugaz, que dura pouco, transitório, veloz, passageiro.
Fulcro	Sustentáculo, suporte, apoio.
Funesto	Fatal, letal, nocivo, prejudicial.

G	
Gólgota	(Do aramaico "lugar da caveira") – Morro fora de Jerusalém, onde Jesus foi crucificado, cujo formato assemelhava-se a um crânio.
Granjear	Obter com trabalho ou esforço, conquistar, cultivar, atrair.
Guapo	Esperto, corajoso, rápido, exímio, destemido.

H	
Hanseníase	Mal de Hansen, lepra, doença infecciosa crônica que agride a pele e os nervos periféricos.
Harpejo	(Arpejo – do italiano *arpeggio*) – Execução rápida e sucessiva das notas de um acorde.
Haurir	Beber, sorver, aspirar, esgotar, consumir, extrair, esvaziar.
Hebetação	Estado de hebetado, obtuso, abobalhado, perturbado, confuso.
Hebetado	Obtuso, abobalhado, perturbado, confuso.
Hediondez	Que imprime repulsa e horror, horrível, repulsivo, repugnante.
Hediondo	Que provoca repulsão, horrível, horroroso, repugnante.
Hilota	Excluído, marginalizado, pária.
Hipócrita	Pessoa falsa, fingida, que diz ser o que não é, farsante, dissimulado.
Holocausto	(Do grego *holókaustos*) – "Sacrifício em que a vítima era queimada inteira", sacrifício, execução em massa.
Hosana	Louvor, aclamação, hino religioso.
Hostilidade	Manifestação de rivalidade, de agressividade.
Humílimo	Superlativo de humilde. Extremamente humilde, simples.

I	
Ignóbil	Baixo, desprezível, vil, abjeto.
Ignoto	Ignorado, desconhecido.
Iguaria	Alimento saboroso, apetitoso, petisco, acepipe.
Imo	O lugar mais profundo, centro, íntimo, âmago.
Impertérrito	Destemido, intrépido, corajoso.
Impérvio	Que não dá passagem, impenetrável, inacessível.
Imprecação	Rogo, súplica, praga, maldição.
Incensório	Recipiente em que se queima incenso, incensário, turíbulo.

Incólume	Livre de perigo, intacto, ileso, inatingido.
Indumentária	Acessórios de vestir, vestimenta, vestuário, roupa.
Inebriando	De inebriar – embriagar, deliciar, extasiar.
Inebriante	Algo que embriaga, que entontece, que extasia.
Inerme	Sem defesa, desarmado, moribundo.
Inescrupuloso	Indivíduo sem escrúpulos, desonesto, imoral.
Inexorável	Algo inevitável, imutável, inflexível.
Inexoravelmente	De maneira inevitável, imutável, inflexível.
Infame	Canalha, miserável, ignóbil, desprezível, asqueroso.
Infâmia	Perda da boa fama, desonra, degradação, baixeza.
Infligir	Aplicar pena, castigo, repreensão. Causar, produzir, provocar.
Influxo	Ao influxo de, ato de influir, influência.
Injunção	Imposição, coação, determinação.
Inolvidável	Que não se pode esquecer, inesquecível, memorável.
Insânia	Loucura, demência, falta de juízo.
Insensatez	Falta de senso, desequilibrado, alienação, desatino.
Ínsito	Implantado, inserido, inerente, gravado.
Inteiriço	Feito de uma só peça. Inflexível, irredutível, inquebrantável.
Intemerato	Aquele que é puro, incorruptível, cândido, sagrado.
Intrincado	(Intricado) – Enredado, emaranhado, obscuro, confuso.
Introspecção	Voltar-se para dentro de si mesmo, estado de concentração, introversão, recolhimento.
Inusitado	Não usual, incomum, estranho.
Invitação	Convite, convocação, exortação, intimação.
Irreprochável	O que é impecável, sem defeito, irrepreensível.

J	
Jactância	Vaidade, ostentação, arrogância, orgulho.

Jactancioso	Vaidoso, arrogante, orgulhoso.
Júbilo	Alegria ruidosa, grande contentamento, satisfação, regozijo.
Jungia	De jungir – emparelhar, juntar, atar, unir.

K	
Koans	Técnicas de concentração para alcançar a plenitude emocional e mental. O método *koan* surgiu há cerca de 900 anos no budismo zen, no Japão, visando atingir a expansão da consciência.

L	
Lapidação	Antiga pena de morte por apedrejamento. Preparação de pedras preciosas. Educação, aperfeiçoamento.
Lasciva	Sensual, libidinosa, desregrada.
Látego	Açoite de correia ou de corda.
Lenida	De lenir – abrandar, suavizar, aplacar, mitigar.
Levedasse	De levedar – fazer crescer a massa, fermentar, inchar, engrossar.
Leviano	Irresponsável, imprudente, insensato, irrefletido.
Licença	Relativo à licenciosidade, desregramento, sensualidade, libertinagem.
Litigante	Aquele que está em luta, em litígio. Contendor, disputante.
Locupletavam	De locupletar – tirar proveito de, saciar, enriquecer.
Loendro	Planta ornamental conhecida como espirradeira, com flores brancas, róseas e vermelhas.
Loquaz	Falador, conversador, tagarela, proseador.
Louçã	Que tem muita beleza, elegância, garbo.
Luarizando	De luarizar – dar o tom do luar, pratear, iluminar, brilhar.
Lucilante	Que tem brilho, que cintila, que ilumina.
Lucilavam	De lucilar – brilhar fracamente, luzir, cintilar.

Ludibriado	De ludibriar – ato ou efeito de enganar, lograr, desdenhar, zombar, escarnecer.
Lúgubre	Soturno, lamentoso, triste.
Luxúria	Sensualidade, volúpia, lascívia, desejo.

M	
Macabro	Sinistro, obscuro, tétrico, funesto.
Macera	De macerar – machucar, ferir, esmagar, amolecer.
Malsão	Maléfico, daninho, nocivo, mórbido, doentio.
Malsinando	De malsinar – denunciar, delatar, censurar, condenar, desvirtuar.
Malta	Grupo de pessoas de má índole, bando, corja.
Maná	Trata-se de um tipo de seiva produzida por uma árvore (*Fraxinus ornus*) originária do sul da Europa e do sudeste asiático. Esta seiva se cristaliza em forma de bastões brancos extremamente açucarados. Na tradição bíblica, representava o alimento que Deus provia diariamente ao povo hebreu na fuga pelo deserto.
Mansuetude	Mansidão, brandura, serenidade, calma.
Maquiavélico	Ardiloso, astuto, tenebroso, cruel.
Matiz	Cor, tonalidade, tipo, variedade, procedência.
Mazela	Ferida, chaga, enfermidade, aborrecimento, desgosto.
Medrando	De medrar – crescer vegetando, desenvolver-se.
Mefítico	Cheiro ruim, fétido, pestilento, podre.
Meridiana	Óbvia, evidente, transparente, indiscutível.
Mescla	Amálgama, misto, mistura de elementos diversos.
Mesquinharia	Pequenez, usura, avareza, desdita.
Mesquinhez	Avareza, apego, egoísmo, miséria.
Mesquinho	Pessoa agarrada a bens materiais, sovina, egoísta.
Metodologia	Plano de métodos e processos para atingir um determinado objetivo. Método, maneira, forma.

Miasmas	Emanações fétidas e tóxicas, como dos pântanos, que se acreditava fossem causa de doenças. Impurezas, emanações mentais deletérias.
Mirífica	Magnífica, esplêndida, admirável.
Mixórdia	Confusão, desordem, bagunça, barafunda.
Modorrento	Que tem modorra, sonolento, preguiçoso.
Mofa	Chacota, gozação, ironia, zombaria.
Mole	Grande massa informe, grande volume (mole humana – multidão).
Morbidez	Relativo a degradante, sórdido, depravado, doentio.
Morbo	Estado patológico, doença, enfermidade, moléstia.
Morfético	Aquele que tem morfeia, leproso, hanseniano.

N	
Nacada	Parte, pedaço, fatia, porção, naco (principalmente de comestíveis).
Nefando	Abominável, execrável, indigno.
Nefasto	Trágico, sinistro, funesto.
Negaceou	De negacear – enganar, iludir, tapear.
Neófito	Aprendiz, noviço, praticante.
Nimbado	Aureolado, envolto, cercado.
Nublavam	De nublar – escurecer, ensombrar, embaçar (olhos nublados pela saudade).
Nuvens garças	Nuvens do tipo *cirrus* ou *cirrocumulus* que se apresentam esgarçadas ou desfiadas nos céus.

O	
Obnubilado	Estado de perturbação da consciência, atordoado, aturdido.
Ocaso	Desaparecimento de um astro no horizonte a oeste (ex.: pôr do sol), final, queda, ruína.
Ócio	Folga, tempo livre; preguiça, vadiagem.

Ociosidade	Falta de disposição, pressa ou empenho; preguiça, indolência, moleza.
Ostensivo	Claro, declarado, exibido, evidente.
Ouropéis	Aparências enganosas, falsos brilhos, falsidades.
Outeiro	Colina, pequeno monte.

P	
Pairavam	De pairar – agir sobre, atuar acima de, sustentar-se, flutuar, planar.
Palor	Palidez, abatimento, tristeza, desfalecimento.
Palradores	Que se acham donos da verdade, faladores, tagarelas, insensatos.
Parâmetro	Modelo aproximado de algo, padrão, base, suporte, norma.
Pária	Excluído da sociedade, impuro, desclassificado.
Patamares	Etapas de uma escala evolutiva, degraus, planos, níveis.
Patética	Sinfonia que representa uma celebração da vida, as paixões compulsivas, o amor e os desgostos.
Peçonha	Substância venenosa, maldade, crueldade, perversidade.
Pentagrama	Pauta onde se escrevem as partituras. Estrela de cinco pontas como símbolo esotérico da ação do espírito sobre a matéria. Fig.: Jesus colocava suas canções (pregações) no pentagrama das tardes.
Pentecostes	(Do grego *pentecosté*) – período de 50 dias após a Páscoa. Originalmente festa da colheita, Pentecostes tornara-se também festa de renovação da aliança que evoca o dom da lei do Sinai. Para os cristãos, a descida do Espírito Santo sobre os apóstolos (os espíritos superiores que iniciaram os inúmeros fenômenos mediúnicos) – "Apareceram-lhes, então, línguas como de fogo, que se repartiam e pousaram sobre cada um deles. E todos ficaram repletos do Espírito Santo e começaram a falar em outras línguas, conforme o Espírito lhes concedia se exprimissem" (Atos dos Apóstolos, cap. 2: 3-4).
Percuciente	Agudo, penetrante, profundo (olhar percuciente).
Peregrina	Extraordinária, excepcional, bela, estranha.

Permear	Fazer passar pelo meio, interpor, entremear.
Pernicioso	Que prejudica, nocivo, perigoso, maligno.
Perpetrado	De perpetrar – levar a cabo alguma ação, cometer, praticar, realizar.
Petardo	(Do francês *pétard*) – Lançar para diante, projétil, bomba, fogo de artifício.
Pigmeus	Fig.: Pessoas mesquinhas, insignificantes, de baixa estatura moral.
Pilotis	Colunas de sustentação de um prédio, pilares, pilastras. Fig.: elementos de sustentação das almas ou da implantação do Reino dos Céus na Terra.
Pináculo	O ponto mais alto, mais elevado. Apogeu. Fig.: "pináculo da glória".
Pingente	Ornamento pendurado em brincos ou colares. Fig.: estrelas como pingentes no firmamento.
Piscoso	Que tem muitos peixes.
Plenificação	Tornar-se pleno, preenchido, completo.
Pórfiro	Variedade de mármore muito duro, de cor verde ou púrpura.
Pórtico	Portal de um edifício nobre, alpendre, átrio, pátio, vestíbulo.
Postulados	Ensinamentos, premissas, determinações.
Preâmbulos	"Sem preâmbulos", de pronto, sem demora.
Prestígio	Consideração, importância, dignidade.
Presunção	Ato de presumir, pretensão, arrogância, vaidade, orgulho, suposição, suspeita.
Presunçoso	Pretensioso, arrogante, orgulhoso.
Primarismo	Qualidade de primário, elementar, rudimentar.
Primazia	Prioridade, excelência, superioridade, vantagem.
Primogênita	Primeira filha de um casal. Fig.: a inveja é filha primogênita do egoísmo.
Profano	Não pertencente a religião, não sagrado, secular, leigo.
Prol	Em favor de, em benefício de.

Promiscuidade	Relacionamento humano inadequado ou pervertido, devassidão, libertinagem.
Propiciatório	Lugar propício, adequado, conveniente.
Prosápia	Raça, linhagem, ascendência, progênie. Orgulho, ostentação, jactância.
Prosternou	De prosternar-se – atitude respeitosa perante algo ou alguém superior, reverenciar, humilhar-se, prostrar-se.
Prurido	Fig.: ter pretensão a, escrúpulo, tentação, desejo.
Psicosfera	Meio ambiente espiritual, atmosfera psíquica gerada pelas emanações mentais de um grupamento de pessoas.
Pudico	Casto, cândido, inocente, virtuoso.
Pugilato	Luta, briga a socos.
Pulcro	Puro, belo, formoso, gentil.
Pululavam	De pulular – germinar, brotar, multiplicar, abundar.
Pungia	De pungir – causar grande dor moral, afligir, torturar, atormentar.
Pusilânime	Indivíduo sem ânimo ou firmeza, indeciso, medroso, covarde.
Pusilanimidade	Sem ânimo ou firmeza, fraqueza, indecisão, medo, covardia.
Putrefação	Decomposição, apodrecimento.

Q

Querela	Discussão, pendência, queixa.
Quinquilharia	Coisa pequena e barata, miudeza, bagatela, ninharia.

R

Rabi	Tratamento respeitoso, entre os judeus, equivalente a “meu senhor”, “meu mestre”.
Rapina	Roubo com violência, pilhagem, saque.
Recamava	De recamar – cobrir, revestir, adornar.
Redarguiu	De redarguir – responder, replicar argumentando.

Redivivo	Ressuscitado, ressurrecto, ressurgido.
Refestelar-se	De refestelar – acomodar, deleitar, fartar.
Refrega	Peleja, briga, luta.
Refrigério	Bem-estar gerado pela frescura, refresco, consolação, alívio.
Refulgia	De refulgir – brilhar, cintilar, resplandecer, fulgurar.
Regozijar	Alegrar-se, rejubilar-se, felicitar, congratular.
Régulo	Nobre, chefe, potentado.
Remanesçam	De remanescer – sobrar, restar, permanecer.
Renitente	Obstinado, teimoso, persistente.
Repasto	Refeição, alimentação copiosa, banquete.
Reposteiro	Espécie de cortina de linho retorcido, utilizada para substituir portas, nos templos ou no interior das casas.
Reprimenda	Advertência, censura, admoestação.
Ressarcidora	Que indeniza, que paga, que repara.
Ressumar	Gotejar, verter, destilar, revelar, patentear. Fig.: manifestar(-se) de maneira evidente; revelar-se.
Rilhado	De rilhar – ranger os dentes durante o sono, trincar os dentes, morder, mascar, lixar.
Ripostou	De ripostar (repostar) – postar de novo, responder, replicar, retrucar.
Rociavam	De rociar – orvalhar, borrifar, espalhar.

S	
Salmodia	Modo de cantar ou recitar salmos.
Sanha	Fúria, rancor, ódio, cólera.
Sarcasmo	Zombaria, escarnecimento.
Satanás	Satã, Demônio, Belzebu, Lúcifer.
Seixo	Pedra lisa e arredondada encontrada em riachos, calhau, cascalho.
Selene	Selene, a deusa da lua, era filha dos titãs Hipérios e Tea, e irmã da deusa Eos e do deus Hélios.

Sequazes	Que seguem ou acompanham, seguidores, partidários, integrantes do bando.
Saron	(Rosas-de-saron) – Planta que produz flores rosas, roxas ou brancas exuberantes, conhecida principalmente por seu doce perfume. Presente em citações bíblicas por ser encontrada no Oriente Médio.
Sicário	(Sica – punhal romano) – Assassino pago, torturador.
Simulacro	Criar algo que possa parecer real, imitação, disfarce.
Sinédrio	O mais alto tribunal judaico em Jerusalém, constituído pelos sacerdotes, anciãos e escribas, que julgava assuntos religiosos e civis – composto de 71 membros.
Sinistra	Mão esquerda.
Soberbo	Indivíduo mesquinho, orgulhoso, altivo, arrogante, presunçoso.
Soerguimento	Ação ou efeito de reerguer, levantamento, elevação.
Soez	Torpe, grosseiro, vulgar.
Sofisma	É uma mentira disfarçada, embuste, artifício, artimanha, ardil.
Sofista	Aquele que usa de argumentos, que enfraquecem a verdade em favor do falso. Enganador, hipócrita.
Soldo	Pagamento. Loc.: a soldo de – a serviço de, a mando de, sob as ordens de.
Solidário	Que partilha dos mesmos interesses, opiniões e sentimentos. Apoiador, solícito, prestativo.
Sopitar	Abrandar, acalmar, refrear.
Sordidez	Miséria extrema, coisa ou pessoa nojenta, repugnante. Baixeza, degradação, infâmia.
Sórdido	Que causa nojo ou repugnância, imoral, mesquinho.
Subestimam	De subestimar – desqualificar, desprezar, desdenhar, desvalorizar.

T

Tamarindeiro	Árvore que produz o tamarindo – do árabe *tamr al-hindi* ou "tâmara da Índia". No Brasil, é mais cultivado no Norte e Nordeste.

Tartamudeou	De tartamudear – gaguejar.
Tenazes	Tesoura de ferreiro para segurar ferro em brasa. Fig.: perfídias, traições, calúnias.
Tênue	Delicado, sutil, delgado.
Tergiversação	Ato ou efeito de tergiversar (usar de evasivas, rodeios, subterfúgios).
Tergiversaram	De tergiversar – usar de evasivas, rodeios, subterfúgios – enrolar, escapar, divagar.
Tetrarquia	Reino dividido entre quatro reis. Ex.: Herodes Antipas era o tetrarca da Galileia que governava esta região à época de Jesus.
Tipificam	De tipificar – caracterizar, configurar, classificar.
Tisnava	De tisnar – macular, manchar, escurecer, queimar.
Titubear	Hesitar, tropeçar, enrolar, trapacear.
Toldaram	De toldar – encobrir, obscurecer, turvar, entristecer.
Tonitruante	(Tonitroante) – Que troveja, que estronda, trovejante, atroador.
Torá	Lei mosaica, pentateuco bíblico – contida em grandes rolos de pergaminho, nas sinagogas judaicas, venerados pelos judeus.
Tornado	Fenômeno meteorológico no qual uma corrente aérea gira em altíssima velocidade, provocando grande destruição. Furacão, tufão, ciclone.
Torpe	Infame, vil, abjeto, ignóbil, repugnante, obsceno.
Torvelinho	Redemoinho, turbilhão, vórtice.
Transitório	Passageiro, provisório, temporário.
Trasladar	(Transladar) – Que foi mudado de um lugar para outro, transferir, modificar, transcrever, traduzir, verter.
Tremeluzente	Cintilante, lucilante, coruscante.
Trepidou	De trepidar – vacilar, hesitar, titubear, tremer.
Trípode	Banco de três pés e sem encosto, em que se assentava a pitonisa para pronunciar suas profecias. Vaso de três pés onde se queimava o incenso – incensório.
Trombetearam	De trombetear – alardear, vangloriar, anunciar.
Truculência	Uso de violência, crueldade, atrocidade, brutalidade.

Truculento	Que é violento, cruel, bruto.
Turbação	Agitação, balbúrdia, confusão, inquietação.
Turbamulta	Multidão, aglomeração, confusão, desordem.
Turra	Briga, discussão, teimosia.

U	
Ufanava	De ufanar – envaidecer, regozijar, vangloriar.
Unção	Autoridade divina, consagração, sacralização.
Unívoco	Que só admite uma interpretação, inequívoco, inconteste.
Urdidura	Ato de urdir, armar um plano para atingir um objetivo.
Urdir	Tramar, premeditar, maquinar, enredar.
Usurparam	De usurpar – apoderar-se indevidamente de algo, adquirir por fraude, apossar-se.
Utopia	Fantasia, sonho, ilusão, ficção.

V	
Vã	O que está fora da realidade, inútil, leviana, vazia.
Vacuidade	Estado, condição ou qualidade do que é ou está vazio. Vazio moral, intelectual ou espiritual.
Vãmente	De modo vão, inutilmente, equivocadamente.
Vaticínio	Profecia, predição, pressentimento, presságio.
Veemência	Com intensidade, vigor, energia, violência.
Velário	Toldo antigo usado em teatros ou circos, para proteger contra a chuva. Sombras do anoitecer, "...Até que a noite mergulhou a alma das coisas no seu velário de sombras espessas." (*Paulo e Estêvão*, 2ª parte – cap. 1).
Veleidade	Leviandade, falsidade, presunção, vaidade.
Venal	Aquele que se vende, corrupto, subornável, corrompido.
Verberou	De verberar – açoitar, flagelar, censurar, criticar, reprovar.

Verdugo	Indivíduo cruel e desumano, carrasco, algoz.
Vereda	Caminho estreito, atalho, senda.
Verga	De vergar – curvar, dobrar, envergar.
Vergastam	De vergastar – açoitar, chicotear, flagelar, maltratar.
Viandante	Viajante em busca de conhecimento. Aquele que leciona conhecimentos retirados da experiência.
Vicejam	De vicejar – fazer germinar, manifestar-se com força, desabrochar, desenvolver, crescer.
Vicissitude	Mudança ou variação na sucessão das coisas, transformação, alteração, eventualidade, má sorte, azar, revés.
Vige	De viger – vigorar, valer.
Vigente	Que está em vigor, que vigora, que está valendo.
Vigília	Conservar-se desperto, estado de vigilância, atenção.
Vil	Ordinário, infame, desprezível, mesquinho.
Vilania	Atos e atitudes contrárias à ética e a moral, baixeza, abjeção, degradação.
Vileza	Baixeza, indignidade, infâmia, mesquinharia.
Vincula	De vincular – ligar, prender, enlaçar.
Vitaliza	De vitalizar – dar vida a algo, revigorar, fortalecer.
Volúpia	Prazer dos sentidos, grande prazer.
Volveu	De volver – mudar de posição ou de direção, virar, regressar, reverter.

X	
Xenoglossia	(Do grego *xeno* – estrangeiro – e *glosso* – língua) – Quando o médium se expressa em língua que lhe é desconhecida (conforme ocorreu no dia de Pentecostes).

Anotações

Anotações